Confianza para el viaje de la vida

Enfrentando la ansiedad con la fe en Dios

ELIZABETH VIERA TALBOT

Pacific Press®
Publishing Association
Nampa, Idaho | www.pacificpress.com

Dirección editorial: Ricardo Bentancur
Redacción: Alfredo Campechano
Traducción: Natalia Jonas
Diseño de la portada: Gerald Lee Monks
Arte de la portada: iStockPhoto.com
Diseño del interior: Aaron Troia

La autora se responsabiliza de la exactitud de los datos y textos
citados en esta obra.

Puede obtener copias adicionales de este libro en
www.libreriaadventista.com, o llamando al 1-888-765-6955

ISBN: 978-0-8163-9097-7

Printed in the United States of America

October 2021

Tabla de contenido

Dedicatoria

Dedico este libro a mi Redentor, Jesucristo, quien me libró de la condenación.

Él pagó mi culpa en la cruz, y compró mi vida eterna.

Él recibió lo que yo merezco, para que yo pudiera recibir lo que él merece.

"Al que no cometió pecado alguno, por nosotros Dios lo trató como pecador, para que en él recibiéramos la justicia de Dios" (2 Corintios 5:21, NVI).

Gracias a este "gran intercambio", ahora estoy en camino hacia la Tierra Prometida. Porque:

"*Él* fue herido por *mis* rebeliones,
Él fue molido por *mis* pecados;
el castigo por *mi* paz cayó sobre *él*,
Y por *sus* heridas, *yo* fui curada".
(Isaías 53:5, paráfrasis de la autora.)

¡Gracias, Jesús!
¡Te amo!

Introducción

En la pared junto a mi cama cuelga un cuadro que miro con frecuencia. En una hermosa letra caligráfica, dice: "Confía en el Señor de todo corazón" (Proverbios 3:5, NVI). ¡Qué declaración tan hermosa! Pero la segunda parte de este versículo es la que me da problemas: "Y no en tu propia inteligencia". Esa es la parte con la que lucho. Soy del tipo de persona que busca respuestas estudiando e investigando para informarse; me gusta hacer mi tarea. Quiero entenderlo todo y, en el proceso, hago mi mejor esfuerzo. Creo que Dios quiere que demos lo mejor de nosotros mismos, pero, ¿qué sucede cuando lo mejor de nosotros no es suficiente?

Durante los últimos años, Dios me ha estado impulsando hacia una fe más profunda; él quiere que confíe en él con todo mi corazón aun cuando *no entienda*. A menudo no entendemos a Dios o las circunstancias que él permite. No podemos ver cómo podría hacer que todas las cosas obren para el bien de sus propósitos redentores y, a menudo, sus caminos no tienen sentido para nosotros. Es entonces cuando la ansiedad puede infiltrarse.

El cuadro en mi pared tiene una historia. Después de varios años de remisión, el cáncer que tenía mi padre volvió a aparecer, y el médico ordenó una nueva ronda de quimioterapia. El cuerpo de mi papá reaccionó de forma adversa a este nuevo tratamiento y tuvo que pasar unos días en el hospital, y luego unos cuantos más en un centro especializado para recuperar las fuerzas y poder volver a casa. Procuré que su nueva habitación en el centro de rehabilitación fuera lo más agradable posible. Llevé una silla cómoda y varios artículos más para que fuera acogedora. También traje el cuadro de mi habitación que dice: "Confía en el Señor de todo corazón" (Proverbios 3:5, NVI). Lo puse delante de su cama, donde podría verlo siempre. Mi padre confiaba en el Señor con todo su corazón, y nosotros confiábamos en Dios y esperábamos que todo saliera bien. Después de un tiempo pudo volver a su casa. Pero con el paso de los días se hizo evidente que el cáncer avanzaba. Cuando volví de un viaje, decidimos que era momento de ungir a mi padre (ver Santiago 5:14) y pedirle a Dios un milagro de curación, aunque sometiéndonos a su voluntad. Todavía recuerdo los ojos apacibles de mi padre mientras le leía el texto de S. Juan 11:25 y 26, que él como ministro de toda la vida seguramente había citado muchas veces: "Le dijo Jesús: Yo soy la resurrección y la vida; el que cree en mí, aunque esté muerto, vivirá. Y todo aquel que vive y cree en mí… no morirá eternamente". Entonces le pregunté: "¿Crees en esto, papá?". Estoy segura de que él había hecho esa misma pregunta a innumerables personas a lo largo de su ministerio, pero ahora, como él mismo se enfrentaba a la muerte, era su momento de responderla. "¡Sí!", dijo. Estaba seguro del futuro y de la realidad absoluta de su redención mediante la muerte sacrificial de Jesús en su lugar. Sabía en quién había creído y encaraba esta etapa de la vida en paz y con confianza. No había ansiedad en sus ojos. En absoluto. Murió pocos días después, confiando en Dios con todo su corazón.

El cuadro sobre mi pared me recuerda que todos estamos en un viaje: el viaje de confiar en Dios para nuestra redención, un viaje de éxodo. Estamos camino a la Tierra Prometida celestial, pero todavía estamos aquí, en un mundo de dolor y sufrimiento. La vida perfecta y la muerte perfecta de Jesús por nosotros son la garantía de cómo termina esta historia: ¡Jesús gana! Su resurrección confirmó su victoria sobre el pecado y la muerte; y, porque somos suyos, conocemos el final de nuestra historia.

Todos los que aceptamos a Jesucristo como nuestro Salvador no tenemos por qué vivir con ansiedad, pues creemos en el resultado victorioso por sus méritos. Entonces, ¿por qué luchamos con la ansiedad en nuestro viaje a la Tierra Prometida? Porque a todos nos gusta sentir que tenemos control sobre las circunstancias, aunque no lo tenemos. Es porque todos queremos entender, y sin embargo, a menudo no tenemos ni idea de la realidad. No sabemos cómo es posible que Dios convierta todas nuestras dolorosas circunstancias

Introducción

en algo bueno para sus propósitos redentores. Y es porque, en el fondo, todos sabemos que no calificamos para la salvación, ya que no somos perfectos. Sin embargo, Dios nos ha dado su redención como un regalo, y la seguridad de su presencia para nuestro viaje a la Tierra Prometida. Nos enfrentamos a una elección: ¿Dependeremos de Dios o de nosotros mismos? ¿Fe o miedo? ¿Confianza o ansiedad?

El libro de Éxodo es la historia de la redención de Israel de la esclavitud egipcia. A pesar de que Dios realizó milagros asombrosos para liberarlos, los israelitas lucharon y murmuraron constantemente en su viaje a Canaán, su tierra prometida. En este libro estudiaremos algunas de sus historias para aprender de su experiencia mientras cruzaban el desierto hacia esa tierra que manaba leche y miel. En este proceso reviviremos aquel viaje en nuestras propias vidas, y nos haremos algunas de las mismas preguntas que ellos se hicieron, mientras confiamos en las respuestas de Dios (que ellos no siempre aceptaron). ¿Se puede confiar en Dios para que sea nuestro Redentor, Guía, Protector y Proveedor? Ruego que después de leer este libro tu respuesta sea un rotundo ¡Sí!

El ministerio de medios de comunicación *Jesus 101* creó una serie de televisión complementaria titulada *La travesía del Éxodo*, y cada programa coincide con un capítulo de este libro. Invitamos al doctor Gustavo Squarzon a estar con nosotros en los programas. Creo que disfrutarás mucho y te beneficiarás de esta serie, que está disponible para verla a tu conveniencia en nuestro sitio web, www.Jesus101.tv/es, en la sección de videos.

Deseo que tú y otros reciban aliento de estos relatos bíblicos mientras viajamos por la vida en esta tierra y hasta que Jesús nos lleve a nuestro hogar celestial. Que Dios nos conceda su Espíritu para entender que ya no somos esclavos, sino que hemos sido liberados por la sangre del Cordero, Jesucristo, que fue sacrificado para *liberarnos*. Oro para que por medio de él puedas experimentar la seguridad de la salvación. Elijamos la confianza en lugar de la ansiedad, incluso cuando no lo entendamos todo. Y quiera Dios que dependamos de *su* capacidad para enderezar nuestros caminos.

Confianza para el viaje de la vida

Confía en el Señor de todo corazón,
y no en tu propia inteligencia.
Reconócelo en todos tus caminos,
y él allanará tus sendas
(Proverbios 3:5, 6, NVI; énfasis agregado).

¿Estás listo para el viaje? ¡Comencemos!

Capítulo 1

El propósito de Dios

—¡Solo esta vez, señora! —respondió a mi pregunta el joven agente de seguridad. Todo empezó unos minutos antes, mientras almorzábamos frente al hermoso lago del volcán Taal en Tagaytay, Filipinas. Estaba disfrutando de ese pintoresco paisaje cuando de repente vi un fino hilo de vapor que salía del volcán. Lo señalé a mis amigos y a la moza que nos atendía, luego me levanté para tomar algunas fotos y videos. La actividad volcánica iba aumentando en intensidad, podíamos ver la ceniza negra lanzada al aire. Decidimos irnos y, de camino al auto, nos encontramos con un joven oficial, a quien pregunté:

—¿Con qué frecuencia ocurre esto?

—¡Solo esta vez, señora! —respondió, y nos informó que tras décadas de letargo, un terremoto acababa de activar el volcán. Este fue el comienzo de una de las semanas más interesantes de mi vida.

Había viajado desde los Estados Unidos hasta el Instituto Internacional Adventista de Estudios Avanzados, en Filipinas, para dar unas charlas sobre la predicación y una semana de énfasis espiritual titulada "Bendita Seguridad". Ahora necesitábamos la seguridad de Dios más de lo que jamás habría imaginado cuando planeé este viaje. A la mañana siguiente, el plantel estaba envuelto en una gruesa capa de ceniza volcánica, por lo que el trabajo y las clases fueron suspendidas. ¿Y ahora qué? Fue un giro inesperado de los acontecimientos, totalmente fuera de nuestro control. Solo teníamos dos opciones, las mismas a las que todos nos enfrentamos cuando la marea cambia y nos encontramos fuera de control, en circunstancias desesperadas: la fe, o el miedo. Seguridad o desesperación. Confianza o ansiedad.

Cuando cambia la marea

El libro de Éxodo comienza con una nota triunfal: los descendientes

Confianza para el viaje de la vida

de Israel se habían multiplicado y llenado la tierra. ¡Qué impresionante cumplimiento de la promesa del pacto de Dios a Abraham (ver Génesis 12:2)! Un pequeño grupo de setenta personas, compuesto por la familia de Jacob, había emigrado a Egipto en la época de José, uno de los hijos del patriarca, que era entonces administrador de todo Egipto. Cuatro siglos después, habían prosperado de tal manera que la tierra estaba llena de ellos (ver Éxodo 1:5-7). ¡Se puede confiar en que Dios cumplirá sus promesas! ¡Asombroso!

Pero nuestro entusiasmo dura solo unos pocos versículos, porque pronto recibimos la inquietante noticia de que "se levantó un nuevo rey sobre Egipto, que no *conocía* a José" (vers. 8; énfasis añadido). En el idioma original, el verbo "conocer" en este texto bíblico se refiere a un conocimiento íntimo. El nuevo rey podía haber oído hablar de José, pero no lo *conocía*, y no reconocía su contribución en beneficio de Egipto en el pasado. Y así, de repente, cambió la marea. Cuando el nuevo rey vio que los hijos de Jacob eran numerosos y poderosos, temió que en caso de que hubiera una guerra, se volvieran contra Egipto, se aliaran con el enemigo y se fueran del país. Así que ideó un plan que consistía en afligirlos con trabajos duros para amargarles la vida. Pero su plan no funcionó, y el pueblo de Israel siguió multiplicándose.

Entonces el rey ideó un plan B: ordenó a las parteras hebreas que mataran a todos los varoncitos en el momento del nacimiento y dejaran vivir a las niñas. Pero las parteras temieron al Señor y dejaron vivir a los niños. Cuando el faraón preguntó al respecto, dijeron que las "mujeres hebreas" no eran como las "mujeres egipcias", pues eran fuertes y daban a luz antes de que llegaran las parteras. Ya tenemos un anticipo de los dos grupos presentes en la narración, que tendrán un papel central en el resto de la historia: los egipcios versus los hebreos. El plan B tampoco funcionó, así que el rey ideó el plan C, un plan terrible, insólito y macabro: "Entonces Faraón mandó a todo su pueblo, diciendo: Echad al río a todo hijo que nazca, y a toda hija preservad la vida" (Éxodo 1:22). El faraón recluta a *todo su pueblo* para el plan C, y el río Nilo es el medio elegido para la muerte de los bebés hebreos. ¿Y qué pasó con las promesas de Dios? ¿Cumpliría aún su propósito? ¿Quién está sentado en el trono? ¿Dios o Faraón?

El propósito de Dios

En nuestro viaje a la Tierra Prometida celestial a menudo nos encontraremos en situaciones aparentemente sin salida. Cuando nos quedamos sin sabiduría, fuerza y recursos, siempre nos enfrentamos a la misma elección: ¿confiaremos en Dios o nos consumirá la ansiedad? ¿Confiaremos en él con todo nuestro corazón, o confiaremos en nuestro propio entendimiento? ¿Nos dejaremos llevar por Dios o nos esforzaremos nosotros mismos por controlar una situación incontrolable?

Entrega el problema a Dios

No puedo imaginar lo que debió haber pensado su madre mientras preparaba la pequeña barquilla. ¿Cómo pudo dejarlo ir? Mientras se aplicaba el terrible plan C del faraón, una joven pareja, descendientes de Leví, tuvo un varoncito. Esto significaba que cualquier egipcio que descubriera al bebé debía arrojarlo al Nilo. Por lo tanto, la madre del bebé lo escondió durante tres meses. ¡Tres meses! Hizo todo lo que pudo, pero después de tres meses no pudo ocultarlo más. Consiguió una cesta, la cubrió con alquitrán y brea, colocó al bebé adentro y puso la cesta entre los juncos del Nilo. ¿Te lo imaginas? Tal vez tú también has hecho todo lo posible por un hijo, un cónyuge, un amigo, un familiar, un compañero de trabajo. Y ahora es el momento de entregárselo a Dios para que él se haga cargo. Tal vez estés agotado tratando de salvar a alguien. Lo has intentado durante tres meses, tres años o tres décadas, y ahora no puedes hacer más que orar. He descubierto que se requiere más fe para entregar la situación a Dios para que él haga lo que se propone hacer que para seguir tratando de ocultar "eso", sea lo que sea "eso" en tu vida. ¿Confiamos en que Dios se hará cargo de la vida de nuestro ser querido?

Se necesita más fe para dejar ir de nuestras manos el problema, y permitir que Dios haga lo que se ha propuesto hacer.

Hay paradojas interesantes en esta historia. Por ejemplo, la madre del niño terminó obedeciendo el edicto del rey de arrojar al niño al Nilo, ¡pero añadió la cesta! Los momentos desesperados exigen medidas desesperadas. Los padres del niño confiaban en Dios, por lo que se negaron a temer el edicto del rey (ver Hebreos 11:23). El texto también señala que pusieron la cesta entre los "juncos" a la orilla del Nilo. Es interesante que la palabra hebrea para *junco* también se utiliza más adelante en el relato, cuando Israel cruzó el "Mar de los Juncos" (que suele traducirse como "Mar Rojo"). Es como si empezara a desarrollarse una escena del destino del niño. Y quizá la mayor paradoja de esta sección del relato sea el hecho de que el río Nilo, propuesto por el faraón como lugar de ejecución de los niños hebreos, se convirtió ahora en el lugar de la milagrosa liberación del *libertador* del pueblo de Dios.

Sacado del agua

Me asombra la capacidad de Dios para convertir un lugar de angustia en uno de liberación. Y no solo en el río Nilo, sino también en muchos otros acontecimientos más adelante en el viaje de Israel; por ejemplo, cuando convirtió las aguas amargas en aguas dulces (Éxodo 15:22-27). Pero no nos adelantemos. Solo quiero señalar que, si en este momento estás enfrentando una situación sin salida, no dudes de que Dios tiene la capacidad de convertir ese mismo lugar en un sitio de liberación para su gloria.

Volvamos a Éxodo 2. La hermana del bebé estaba de pie a cierta distancia, vigilando esa preciosa carga, cuando la hija del faraón bajó a bañarse en el Nilo. Vio la cesta entre los juncos y su criada la tomó y se la llevó. Es interesante que, en cuanto abrió la cesta y vio al bebé llorando, lo reconoció como un niño hebreo (Éxodo 2:6).

Al instante, la inteligente hermana se acercó a la princesa que había mirado a este niño *hebreo* con compasión, y se ofreció para conseguirle una mujer *hebrea* que criara al niño. La hija del faraón aceptó. Estoy segura de que la muchacha corrió lo más rápido que pudo en busca de la madre del bebé, que todavía estaba guardando el alquitrán y la brea, ¡porque todo esto sucedió tan rápido! ¿Te imaginas su sorpresa cuando su hija le explicó lo que estaba pasando?

La princesa dijo a la mujer que se llevara al niño y lo cuidara, y que recibiría un salario por este "trabajo". El Señor hace "todas las cosas mucho más abundantemente de lo que pedimos o entendemos" (Efesios 3:20). ¡Esto superó sus expectativas! Ahora, esta madre ya no tenía que esconder a su bebé. ¡Ella misma cuidaría de él por mandato de la casa de

El propósito de Dios

Faraón! Y en el proceso recibiría un salario. El decreto del faraón había sido revertido por su propia hija.

La hija del faraón llamó *Moisés* a su hijo adoptivo. Este nombre, derivado del significado "nacer", aparece como parte del nombre de algunos faraones, entre ellos *Ahmose* y *Tutmosis*. Esta palabra también se parece al término hebreo para "sacar", como se refleja en el relato bíblico: "Y le puso por nombre Moisés, diciendo: Porque de las aguas lo saqué" (Éxodo 2:10). Lo que ella no entendía en ese momento era que Dios estaba detrás

> *Dios utilizará para su gloria a cualquiera que se rinda a su voluntad.*

de la escena, orquestando todo para cumplir su propósito, y que ella había sido un instrumento en sus manos para sacar del agua al *libertador* de Dios. ¿Has colocado una "cesta" con una carga preciosa en el río de la vida? Ten la seguridad de que Dios tiene la asombrosa capacidad de obrar para que "a los que aman a Dios, todas las cosas les ayudan a bien... a los que conforme a su propósito son llamados" (Romanos 8:28).

En este punto de la historia debo destacar cómo Dios utilizó a las mujeres para hacer avanzar su plan redentor y frustrar el plan de Faraón. En los dos primeros capítulos del Éxodo, la narración destaca a las dos parteras (Sifra y Fúa), a las fuertes mujeres hebreas que daban a luz, a la madre de Moisés, a la hermana de Moisés y a la hija del faraón; todas ellas fueron instrumentos en las manos de Dios para cumplir sus propósitos salvíficos. Dios utilizará para su gloria a cualquiera y a todos (jóvenes o ancianos, hombres o mujeres) que se rindan a su voluntad, incluso en medio de las circunstancias más sombrías y durante la noche más oscura. No desesperes cuando no veas una salida. Dios está sentado en su trono.

El camino de Dios versus nuestro camino

Esteban, el primer mártir de la fe cristiana, predicó un sermón antes de ser apedreado hasta la muerte. Se encuentra en Hechos 7. En este sermón, relata la historia de la redención y de cómo Dios ha sido fiel a su pacto, y proporciona algunos detalles sobre la vida de Moisés que no tenemos en Éxodo 2. Él dijo: "Y fue enseñado Moisés en toda la sabiduría de los egipcios; y era poderoso en sus palabras y obras. Cuando hubo cumplido la edad de cuarenta años, le vino al corazón el visitar a sus hermanos, los hijos de Israel" (Hechos 7:22, 23).

Moisés fue educado durante casi cuatro décadas en la corte del faraón. Podemos imaginar que aprendió todo tipo de estrategias militares, así como arte, idiomas, filosofía y mucho más. Cuando tenía cuarenta años, Moisés debe haber sido un impresionante príncipe de Egipto. Un día salió a ver a sus hermanos hebreos y vio a un egipcio golpeando a un hebreo; en su afán por defenderlo, golpeó al egipcio y lo mató. Como no había nadie cerca, se limitó a enterrar el cuerpo en la arena. Pero al día siguiente, cuando intentó detener una pelea entre dos hebreos que discutían, se dio cuenta de que el incidente del día anterior ya era conocido, pues uno de los hebreos le dijo: "¿Quién te ha puesto a ti como príncipe y juez sobre nosotros? ¿Piensas matarme como mataste al egipcio?" (Éxodo 2:14). Desde una perspectiva humana, fue entonces cuando todo se vino abajo. El faraón procuró matar a Moisés, quien huyó solo a la tierra de Madián. En esas circunstancias, Moisés no era aceptado por los egipcios y era rechazado por los hebreos.

Moisés quería liberar a su pueblo, pero intentó hacerlo a su manera, con sus fuerzas, en su tiempo y con sus recursos. También supuso que todos los demás lo habían aceptado como el libertador elegido: "Pero él pensaba que sus hermanos comprendían que Dios les daría libertad por mano suya; *mas ellos no lo habían entendido así*" (Hechos 7:25; énfasis añadido).

Moisés tenía que aprender a depender absolutamente de Dios.

La confianza en nuestro propio entendimiento, sabiduría y fuerza es el origen de la mayoría de nuestros problemas, incluso ahora en nuestro propio viaje a la Tierra Prometida celestial. Durante los siguientes cuarenta años Moisés tendría que aprender a *no* apoyarse en su propia fuerza y entendimiento, sino a depender de Dios. Solo así podría convertirse en el instrumento elegido por Dios para liberar a Israel de la esclavitud.

Esa es la única manera en que podremos continuar nuestro camino: eligiendo confiar en el camino de Dios en lugar de forzar nuestro propio sendero y ceder a la ansiedad. Esto nos lleva a la conclusión de este primer capítulo, que es de suma importancia en nuestro viaje a la Tierra Prometida celestial:

> Conclusión #1: El propósito de Dios se cumple
> ¡a su manera y en su tiempo!

Bendita seguridad

Moisés, al igual que muchos otros personajes bíblicos, era un símbolo o tipo de Jesucristo, quien vendría como el Libertador humano-divino de la raza humana. Jesús no vino a liberarnos de Egipto sino a librarnos del pecado, tomando sobre sí el castigo de nuestro pecado, que es la muerte, y muriendo en la cruz para que tengamos vida eterna.

Aprendamos la lección de este capítulo en relación a nuestra salvación eterna y a nuestras necesidades diarias aquí y ahora. No se trata de nuestra sabiduría y fuerza ni de nuestro entendimiento o nuestro tiempo. Aquí es donde encontramos la "bendita seguridad" allá en Filipinas cuando el volcán Taal entró en erupción. Toda esa semana, mientras usábamos nuestras máscaras, nos reuníamos dos veces al día para adorar, orar y estudiar la Palabra, buscando la paz de Dios y rindiéndonos a su propósito, poder y protección. Le encomendamos nuestras vidas a Aquel que dio su vida por cada uno de nosotros y que prometió estar con nosotros hasta el fin de este mundo. Tú y yo también tenemos esta *bendita seguridad*: seremos salvos por lo que Jesús ha hecho, no porque seamos fuertes o inteligentes.

> "*Él* fue herido por *nuestras* rebeliones,
> *Él* fue molido por *nuestros* pecados;
> el castigo de *nuestra* paz fue sobre *él*,
> Y por *sus* heridas, fuimos *nosotros* curados".
> (Isaías 53:5, paráfrasis de la autora.)

¿Estás listo para confiar en su sacrificio a tu favor, y dejar que Dios remueva cualquier ansiedad que sientas sobre el futuro?

Al final del libro, en la página 93, hay unas preguntas para reflexionar sobre el contenido de este capítulo.

Capítulo 2

La revelación de Dios

Una extraña tristeza se apoderó de mí cuando mi padre falleció. Una tristeza que no comprendía del todo. Extraño mucho a mis padres; yo era muy cercana a ellos, y no tengo hermanos. Mi madre había fallecido dos años antes, pero esto era algo diferente. No era una tristeza desesperada, pues tengo la seguridad de que volveré a ver a mis padres en la mañana de la resurrección, en la segunda venida de Jesús.

Mi amiga Hazel me envió un artículo que realmente me ayudó a encontrar palabras para lo que estaba sintiendo. Decía que cuando perdemos a nuestro segundo o último progenitor, nos lamentamos de forma diferente a la anterior y en tres niveles distintos. Cuando muere nuestro primer progenitor, aunque estemos de luto y sintamos la tristeza de la separación, ponemos toda nuestra energía en el segundo progenitor que sigue vivo. Queremos asegurarnos de que tiene todo lo que necesita y en todos los sentidos. Pero cuando el segundo progenitor fallece, lloramos de nuevo la pérdida de ambos padres, lo que constituye el primer nivel de duelo.

El segundo nivel es enfrentarnos a nuestra propia mortalidad de forma real y profunda, porque cuando perdemos a nuestro segundo o último progenitor, nos damos cuenta de que la generación anterior se ha ido y nosotros somos los siguientes. Pero el tercer nivel de duelo me sorprendió. Por primera vez en la vida nos damos cuenta de que somos *huérfanos*, e independientemente de la edad, sentimos la pérdida de la manta de seguridad del amor incondicional de los padres que hemos tenido desde el nacimiento. Ahora era *huérfana*, y esa palabra se convirtió en algo dolorosamente personal.

Fue durante esta época cuando el concepto bíblico de Dios como nuestro *Padre* adquirió un significado totalmente nuevo para mí. Después de todo, no soy *huérfana*. Tengo un *Padre* celestial que me cuida, provee y protege. ¿Te has dado cuenta de que durante las épocas

La revelación de Dios

de dolor y perplejidad Dios se nos revela de formas nuevas y relevantes? Durante los períodos oscuros de la vida Dios se nos manifiesta de manera personal y profunda, y descubrimos nuevos aspectos de su amor y su gracia muy diferentes de los que aprendimos durante los tiempos de paz y tranquilidad. Por eso las experiencias en el *desierto* son tan vitales para nuestra vida espiritual. Y la vida de Moisés no fue la excepción.

Fuego en el desierto

Después de haber huido de Egipto, Moisés se estableció en la tierra de Madián, que lleva el nombre de uno de los hijos menores de Abraham (ver Génesis 25:2). Por lo tanto, los habitantes seguramente adoraban al Dios de Abraham.

Después de haber sido rechazado en Egipto, tanto por los egipcios como por los hebreos, Moisés encontró por fin un lugar en esta tierra desolada a la que podía pertenecer. Se estableció con la familia de Reuel (más adelante llamado Jetro) y se casó con Séfora, su hija. Cuando nació el primer hijo de Moisés, le puso por nombre Gersón (que significa "forastero" en hebreo), "porque dijo: Forastero soy en tierra ajena" (Éxodo 2:22). Por fin el pasado había quedado atrás. Y Moisés residió allí durante cuarenta años (ver Hechos 7:30).

Cuando parecía que los propósitos de Dios habían sido frustrados por el faraón y por las tentativas equivocadas de Moisés, se nos recuerda que Dios tiene el control de todo y recuerda perfectamente sus promesas del pacto. El rey de Egipto murió, y el pueblo de Israel clamó a Dios por ayuda con respecto a su esclavitud. "Y oyó Dios el gemido de ellos, y *se acordó* de su pacto con Abraham, Isaac y Jacob" (Éxodo 2:24; énfasis añadido). Era el momento oportuno para que sus propósitos se llevaran a cabo.

Mientras Moisés pastoreaba el rebaño de su suegro, llegó a Horeb, llamado el monte de Dios, y allí vio un espectáculo insólito: una zarza que ardía pero que no era consumida por el fuego. Como en otras ocasiones, se trataba de la manifestación sobrenatural de la presencia de Dios en el fuego, por eso la zarza no se consumía. Cuando Moisés se acercó, oyó que Dios lo llamaba: "¡Moisés, Moisés!" (Éxodo 3:4). Este doble llamado puede observarse en otros casos en los que Dios llamó a alguien para un propósito especial, como: "¡Samuel! ¡Samuel!" (1 Samuel 3:10), y "Saulo, Saulo"

Confianza para el viaje de la vida

(Hechos 9:4). Dios le dijo a Moisés que se quitara las sandalias, porque estaba pisando tierra santa (esto era una señal de reverencia, que todavía se practica en algunas culturas). Dios procedió a presentarse como el Dios de Abraham, Isaac y Jacob (Éxodo 3:5, 6). ¡Me encanta! Como ves, él es un Dios de personas, no de estructuras, como era el caso de los dioses de Egipto.

El Dios de Israel es un Dios de personas.

Esta es una diferencia muy notable. Cuando visité Egipto, me sorprendió la magnificencia de los templos antiguos. En aquella época, para adorar a un dios, tenían que ir al templo o edificio que pertenecía a ese dios específicamente. Pero el Dios de Israel era un Dios de personas, y se encontraba dondequiera que su pueblo estuviera. Más tarde, Dios diseñó una gran tienda, el Tabernáculo, donde su presencia se manifestaría en medio de su pueblo y que podía ser transportada para acompañar al pueblo en su viaje. ¿No es sorprendente que Dios, el Creador del cielo y de la tierra, quiera estar con nosotros en todo momento?

Dios informó a Moisés que había visto la aflicción y había oído el clamor de su pueblo (vers. 7). Me anima mucho saber que Dios ve nuestras circunstancias y escucha nuestras peticiones. Más tarde le hace saber a Moisés que ha venido a liberarlos y a llevarlos a la buena tierra que mana leche y miel (vers. 8). ¡Maravillosas noticias! ¡Había llegado el momento! ¡Fantástico! Y entonces Dios añadió un "pequeño detalle": "Te *enviaré* a Faraón para que *saques* de Egipto a mi pueblo, los hijos de Israel" (vers. 10; énfasis añadido). Espera, *¿qué?*

¿Con qué autoridad?

A juzgar por sus preguntas, aquí es cuando Moisés se pone ansioso. Se había esforzado mucho por dejar atrás el pasado, por olvidar todo el rechazo que había experimentado por parte de los egipcios y de su propio pueblo. Pero, además, esta era una tarea formidable que sabía que no podía realizar. Cuarenta años antes había intentado mediar entre solo *dos* hebreos y había fracasado estrepitosamente. Su inquietud es palpable en esta pregunta: "*¿Quién soy yo* para que vaya a Faraón, y saque de Egipto a los hijos de Israel?" (Éxodo 3:11; énfasis añadido).

¿Quién soy yo...? Sí. Pregunta equivocada. No hay duda de que ya no es

La revelación de Dios

el mismo príncipe autosuficiente que cuarenta años antes había confiado en su propia fuerza y entendimiento, pero sigue haciéndose la pregunta equivocada: *¿Quién soy yo?* Sigue centrándose en quién es y en lo que puede hacer él mismo. Esta es la pregunta que nos llena de ansiedad en nuestro camino hacia la Tierra Prometida celestial si nos concentramos en quiénes somos nosotros y en lo que podemos lograr. Cuando se trata de la salvación, la liberación y la provisión, centrarnos en nosotros mismos nos llevará invariablemente a la ansiedad. Moisés necesitaba un cambio de paradigma, y Dios estaba a punto de realizarlo. En lugar de responder a la pregunta de Moisés, Dios dijo: "*Yo* estaré contigo" (vers. 12; énfasis añadido).

El poder para esta misión no se encontraba en la fuerza de Moisés sino en la presencia y la autoridad de Dios. El Señor incluso le ofreció a Moisés una señal: "Y esto te será por señal de que *yo* te he enviado: cuando hayas sacado de Egipto al pueblo, serviréis a Dios sobre este monte" (vers. 12; énfasis añadido). ¡Qué Dios tan compasivo el nuestro! Me asombra cómo tranquilizó a Moisés con una señal. Muchas veces, a lo largo de la historia de la redención, Dios dio señales de sus promesas antes de sus actos de liberación. Él sabe que los seres humanos somos propensos a la ansiedad, y quiere que confiemos en él.

Sin embargo, Moisés tenía una segunda pregunta: "He aquí que llego yo a los hijos de Israel, y les digo: El Dios de vuestros padres me ha enviado a vosotros. Si ellos me preguntaren: ¿Cuál es su nombre?, ¿qué les responderé?" (Éxodo 3:13). En respuesta a esta segunda pregunta, Moisés recibe una de las mayores revelaciones de Dios de todos los tiempos: ¡Revela su nombre soberano del pacto! "YO SOY EL QUE SOY. Y dijo: Así

El nombre de Dios, YO SOY EL QUE SOY, revela su soberanía activa en tiempo presente.

dirás a los hijos de Israel: YO SOY me envió a vosotros" (vers. 14). Esto es mucho más que una identificación. Es su soberanía activa en tiempo presente. Él es el Dios que es, y hará lo que se propone hacer. El significado es tan profundo que nos cuesta traducirlo. Cuando Dios lo dice, el nombre se encuentra en primera persona; Moisés lo diría en tercera persona al referirse a él: *Jehová* (vers. 15, 16). Este sería el nombre de Dios que sería recordado por todas las generaciones: *Jehová*, el Dios que *es*.

Confianza para el viaje de la vida

Una vez pronunciado su nombre, el Señor revela a Moisés el futuro, y profetiza lo que sucederá: los ancianos creerían a Moisés e irían con él a Faraón, pero el rey se negaría a dejar ir al pueblo. Dios entonces mandaría sobre Egipto sus poderosas maravillas, y después de eso, el pueblo de Israel saldría de Egipto, pero no con las manos vacías. Ellos "despojarían" a los egipcios (vers. 18-22). Me reconforta mucho saber que mi Dios conoce cada detalle del futuro, ¿y a ti? Cuando reflexiono sobre su soberanía activa y su omnisapiencia, mi nivel de ansiedad disminuye y alabo al que era, al que es, y al que vendrá. Me siento impulsada a entregarle mi vida nuevamente y a confiar en él incluso cuando no comprendo del todo tantas cosas.

El líder reacio

A pesar de estas sorprendentes revelaciones, Moisés tenía más preguntas. Su reticencia se pone de manifiesto en cinco preguntas y comentarios diferentes: *¿Quién soy yo?* (Éxodo 3:11); *¿Quién eres tú?* (vers. 13); *¿Y si no me creen?* (Éxodo 4:1). *Nunca he sido de fácil de palabra... soy torpe de lengua* (vers. 10); y *Te ruego que envíes a otra persona* (vers. 13). Son cinco veces en las que Moisés muestra que es un líder reacio. Pero Dios tenía grandes respuestas para todas sus objeciones. Es interesante notar que la ansiedad llevó a Moisés a dudar incluso de la profecía de Dios de que los ancianos de Israel lo aceptarían. "¿*Y si* no me creen, ni escuchan mi voz?" (Éxodo 4:1, LBLA; énfasis añadido). ¡Oh, el poder de los *"y si..."* que nos acosan! Dios prometió algo. *Sé que es verdad, pero... ¿y si...?* Ya conoces esas auto-preguntas. Y Dios sigue diciéndonos pacientemente: ¡Solo *confía en mí*!

Algunas de las respuestas de Dios son inclusive divertidas, como la forma en que respondió cuando Moisés se quejó de que era lento de palabra y de lengua. Dios respondió: "¿Quién dio la boca al hombre?... ¿No soy yo Jehová? Ahora pues, ve, y yo estaré con tu boca, y te enseñaré lo que hayas de hablar" (vers. 11, 12). *¿Hablas en serio, Moisés? ¿Sabes quién SOY YO?*

En su misericordia, Jehová dio a Moisés tres señales de que había sido dotado de la autoridad de Dios. Su vara podía convertirse en una serpiente, y luego volver a ser una vara; y su mano podía volverse leprosa como la nieve, y luego volver a la normalidad. Y si todavía no le creían, Moisés debía tomar agua del Nilo y convertirla en sangre (Éxodo 4:2-9). Además, Aarón, su hermano, sería su portavoz y, con seguridad, de gran

La revelación de Dios

apoyo para él (vers. 14-16). Al final de la conversación, Dios le ordena a Moisés que tome en su mano la vara con la que realizará las señales (vers. 17). Tenemos un indicio de que Moisés por fin se hace a la idea de que no se trata de él, sino de Dios: "Tomó también Moisés la *vara de Dios en su mano*" (vers. 20; énfasis añadido). ¿Viste eso? La vara de Moisés ahora se llama "la vara de Dios". ¡Me encanta! ¡Dios estaba a punto de actuar poderosamente en su favor! Nosotros tenemos que aprender la misma lección que tuvo que aprender Moisés, lo que nos lleva a la conclusión de este segundo capítulo:

Conclusión #2: ¡Todo se trata de Dios, no de nosotros!

Un Padre celoso

Elegir la *confianza* en lugar de la *ansiedad* significa entender que todo se trata de Dios, no de nosotros. Mientras viajamos hacia la Tierra Prometida celestial nos damos cuenta de que todo, aun nuestra salvación, tiene que ver con él: quién es, lo que ha hecho, su poder, su sabiduría, y su sacrificio por nosotros. El centro es Dios, no nosotros.

Como compartí al principio de este capítulo, es un descubrimiento conmovedor llegar a creer que Dios es nuestro *Padre*, celoso por nosotros. La décima plaga fue anunciada por Dios con las siguientes palabras "Y dirás a Faraón: Jehová ha dicho así: *Israel es mi hijo, mi primogénito. Ya te he dicho que dejes ir a mi hijo, para que me sirva, mas no has querido dejarlo ir; he aquí yo voy a matar a tu hijo, tu primogénito*'" (Éxodo 4:22, 23; énfasis añadido). Dios estaba dispuesto a hacer todo lo necesario para liberar a *su hijo primogénito*, el pueblo de Israel. Y en el proceso reveló que su propio Hijo, Jesucristo, nuestro Cordero de Pascua, moriría para liberarnos a nosotros, sus hijos, de la culpabilidad del pecado (ver 1 Corintios 5:7; estudiaremos este tema con más detalle en el capítulo 5). Completa los espacios en blanco con tu nombre para personalizar esta verdad: "Porque de tal manera amó Dios a _____, que dio a su Hijo unigénito, para que _____, que cree en él, no perezca, mas tenga vida eterna" (S. Juan 3:16, paráfrasis de la autora). ¿Estás listo para confiar en el amor de tu Padre?

Al final del libro, en la página 93, hay unas preguntas para reflexionar sobre el contenido de este capítulo.

CAPÍTULO 3

*L*a intervención de Dios

Todavía no puedo comprender lo que debieron sentir los treinta y tres mineros atrapados bajo setecientas mil toneladas de roca en el interior de la mina chilena que se derrumbó el 5 de agosto de 2010. La buena noticia de que seguían vivos dio la vuelta al mundo diecisiete días después, y fue entonces cuando hubo que idear y poner en marcha un plan de rescate. La situación de los mineros empeoraba a cada instante. Tenían que racionar la poca comida que tenían y procurar mantener la cordura en circunstancias terribles. El único antídoto para su comprensible ansiedad era orar y confiar en que alguien de arriba descubriría cómo llevarlos a la superficie. Nunca se había intentado nada parecido, pero eso no disuadió a los expertos de intentar cualquier cosa que pudiera funcionar. Para los mineros atrapados era difícil mantener las esperanzas cuando no podían hacer absolutamente nada para liberarse a sí mismos. Imagínate sentado ahí durante sesenta y nueve días, en tu tumba tallada en piedra a casi un kilómetro bajo tierra, esperando un milagro, ya que tus suministros se están agotando.

Tal vez estés atrapado en un matrimonio sin amor. O tal vez tu cuenta bancaria lleva mucho tiempo sin fondos, y las facturas vencidas se acumulan. O tal vez la enfermedad está empeorando; la soledad es cada vez más dolorosa; la cuna vacía es cada vez más difícil de soportar. ¿Cómo podemos esperar que Dios intervenga cuando las cosas parecen ir de mal en peor?

El pueblo de Israel llevaba unos cuatrocientos años en Egipto. Aunque todo había empezado bien, más tarde las cosas fueron rápidamente cuesta abajo, y se encontraron atrapados en una situación sin salida. Oprimidos por sus amos egipcios, agobiados por los duros trabajos, clamaron al Señor. Y, finalmente, ¡una luz al final del túnel! En su estado de desesperación, Dios prometió actuar. Moisés y su hermano Aarón acudieron a ellos

La intervención de Dios

con palabras de liberación de parte de Jehová. Moisés realizó las señales que Dios le había dado. "Y el pueblo creyó; y oyendo que Jehová había visitado a los hijos de Israel, y que había visto su aflicción, se inclinaron y *adoraron*" (Éxodo 4:31; énfasis añadido). ¡Oh, qué maravilla! ¡Qué alegría! ¡Sus corazones se llenaron de alabanza y adoración porque el Señor estaba a punto de intervenir! Lo que no sabían era que las cosas también estaban a punto de empeorar.

¿Mejor o peor?

Imagina a Moisés y Aarón llegando al palacio donde reside Faraón. Caminan con paso firme, animados por la impresionante acogida del pueblo; seguramente son mensajeros de Dios, investidos de la autoridad de Jehová. Saben que su misión va a tener éxito porque Dios está de su parte. Podemos sentir la seguridad en su voz cuando le hablan al rey: "Jehová el Dios de Israel dice así: Deja ir a mi pueblo a celebrarme fiesta en el desierto" (Éxodo 5:1). ¡Sí! ¡Hagámoslo! ¡Estamos listos para ir!

¿Reconoces esa sensación de euforia cuando piensas: *Por fin está sucediendo* —justo antes de estrellarte contra una pared de ladrillos que de repente rompe tu burbuja? Bueno, eso es lo que les pasó, pues el faraón respondió con un frío: "*¿Quién? ¿De quién* estás hablando?" "Y Faraón respondió: ¿Quién es Jehová, para que yo oiga su voz y deje ir a Israel? Yo no conozco a Jehová, ni tampoco dejaré ir a Israel" (vers. 2).

Como si una respuesta negativa no fuera suficiente, obtuvieron dos: no conozco a Jehová y no dejaré ir a Israel. Recuerdo lo que alguien me dijo hace décadas, cuando yo enfrentaba momentos difíciles. Hay cinco etapas de recuperación que experimentamos cuando salimos de una situación adversa de larga duración o de una dinámica dañina: Primero se *mejora* (encuentras esperanza); luego se *empeora* (sacas los problemas a la superficie para tratarlos); luego se hace *real* (es hora de enfrentar la realidad); luego se vuelve *bueno* (empiezas a vivir con momentos de paz y serenidad); y por último se vuelve *realmente bueno* (te encuentras en un lugar diferente, mucho más sano emocional y espiritualmente). *Mejor, peor, real, bueno, realmente bueno.*

Creo que la mayoría de nosotros puede identificarse con estas etapas en nuestra vida. Sin embargo, siempre está el peligro de elegir volver atrás, prefiriendo lo conocido sobre lo sano, lo que finalmente le ocurrió al pueblo de Israel. Pero por ahora, las cosas están a punto de ir de mejor a peor y luego a lo real. Sus esperanzas habían aumentado cuando Moisés y Aarón se presentaron con palabras de liberación (Éxodo 4:29-31). Luego se dirigieron al faraón para hacerle saber lo que Jehová quería (Éxodo 5:1).

Sin embargo, en lugar de la liberación, se encontraron con un rey desafiante que no solo denegó la petición, sino que hizo la vida del pueblo mucho más difícil que antes. Faraón los acusó de distraer al pueblo de su trabajo (vers. 4, 5). Y como *Mejor, peor, real, bueno, realmente bueno.* si la negativa a la petición no fuera suficiente, ese mismo día dio una orden a los capataces y a sus encargados: "De aquí en adelante no daréis paja al pueblo para hacer ladrillo, como hasta ahora; vayan ellos y recojan por sí mismos la paja. Y les impondréis la misma tarea de ladrillo que hacían antes, y no les disminuiréis nada; porque están ociosos..." (vers. 7, 8). ¡Espera! ¿Qué? ¡Esto es imposible! ¿Puede esto empeorar? Lo creas o no, sí puede.

Esto se vuelve "real"

Para cumplir con la orden del faraón, los capataces presionaron al pueblo a fin de que siguiera produciendo la misma cantidad de ladrillos, a pesar de que ahora ellos mismos tenían que conseguir la paja. Esto era imposible. Cuando no alcanzaron los objetivos, los capataces del pueblo de Israel (que los cuadrilleros egipcios habían puesto sobre el pueblo) fueron golpeados y cuestionados: "¿Por qué no habéis cumplido vuestra tarea de ladrillo ni ayer ni hoy, como antes?" (Éxodo 5:14). La razón es obvia. Estos capataces israelitas decidieron hablar directamente con Faraón e intentar explicarle que no podían cumplir con la misma cantidad de ladrillos cuando se les negaba la paja. Tal vez pensaron que podrían hacer que el faraón hablara con su gente. Pero entonces se dieron cuenta de que la orden había venido directamente del faraón en respuesta a la intervención de Moisés y Aarón.

El faraón respondió: "Estáis ociosos, sí, ociosos, y por eso decís: Vamos y ofrezcamos sacrificios a Jehová. Id pues, ahora, y trabajad. No se os dará

La intervención de Dios

paja, y habéis de entregar la misma tarea de ladrillo" (vers. 17, 18). La Biblia dice que "se vieron en *aflicción*" (vers. 19; énfasis añadido). ¡Qué aprieto! No solo se les había encomendado una tarea imposible, sino que eran golpeados e interrogados, y ahora el faraón los llamó perezosos y rechazó su apelación. Esto estaba empeorando. Ya conoces la sensación: has hecho todo lo posible y decides probar tu última idea, tu último recurso, y no funciona, sino que empeora las cosas, y quizá por primera vez te sientes impotente ante la situación.

De regreso, los capataces se encuentran con Moisés y Aarón, que los estaban esperando, y los capataces no parecen muy contentos de verlos. Moisés y Aarón eran la razón por la que estaban en tan graves problemas. En términos muy claros, los culparon de lo que estaba sucediendo, y llamaron el juicio de Dios sobre ellos: "Mire Jehová sobre vosotros, y juzgue; pues nos habéis hecho abominables delante de Faraón y de sus siervos, poniéndoles la espada en la mano para que nos maten" (Éxodo 5:21). Sí, definitivamente, esto se está volviendo *real*.

Entonces Moisés se volvió real con Dios. Se dirigió a Jehová con los hechos, con sus preguntas y su perplejidad: Esto es exactamente lo que había temido. ¡Y ahora está sucediendo! "Señor, ¿por qué afliges a este pueblo? ¿Para qué me enviaste? Porque desde que yo vine a Faraón para hablarle en tu nombre, ha afligido a este pueblo; y *tú no has librado a tu pueblo* (vers. 22, 23; énfasis añadido). ¡Vaya! Esto es verdadera honestidad y vulnerabilidad en el momento de mayor desesperación. Dijiste que nos liberarías, ¡pero no está sucediendo! ¡No has cumplido tu promesa! Es obvio que Moisés no entiende por qué Dios está permitiendo esa situación.

Me costó mucho dolor llegar a ser abierta y directa con Dios, pero descubrí que él puede sobrellevar mis preguntas, mis sentimientos y mi perplejidad. Dios quiere escuchar a la persona "real", no a la "superada". Quiere ver a la persona dolida, ansiosa y temerosa que nadie más ve. Es entonces cuando él se nos revela de una manera totalmente nueva, y podemos comenzar a desarrollar una verdadera confianza en él. Es en el punto de nuestro quebrantamiento e impotencia donde nos encontramos con nuestro bondadoso y poderoso Dios de manera real.

Confianza para el viaje de la vida

YO SOY Jehová

Dios le promete a Moisés que actuará. La liberación que Moisés no podía ver estaba a punto de producirse, y en la soberana previsión de Dios ya había comenzado: "Ahora verás lo que yo haré a Faraón... con mano fuerte los echará de su tierra" (Éxodo 6:1). Dios le recuerda a Moisés quién es él y lo que hará. Le dice: "Yo soy JEHOVÁ" (vers. 2). En otras palabras, YO SOY el que es. Jehová señala a Moisés que ha hecho un pacto con Abraham, Isaac y Jacob, y que será fiel a ese pacto.

Dios tranquiliza al pueblo de Israel con siete declaraciones en primera persona que comienzan y terminan con un énfasis en quién es él: "*Yo soy JEHOVÁ... yo os sacaré* de debajo de las tareas pesadas... *os libraré* de su servidumbre... *os redimiré* con brazo extendido... *Os tomaré* por mi pueblo y *seré* vuestro Dios... Y *os meteré* en la tierra... y *os la daré* por heredad. *Yo JEHOVÁ*" (vers. 6-8; énfasis añadido). Él garantiza personalmente esta misión. ¡*Él* hará estas cosas! *Su* nombre está en juego, porque ellos son *su* pueblo. Jehová asume la responsabilidad personal de hacer que esto ocurra, hasta llegar a la tierra prometida. Pero, los israelitas estaban tan agobiados y oprimidos que no escucharon a Moisés (vers. 9). A veces nuestras lágrimas también pueden empañar el punto de vista divino que Dios nos ofrece. La fidelidad de Dios a su pacto es nuestra única esperanza. Y esto nos lleva a la conclusión de este capítulo, que es un concepto central en la historia de la redención:

> *L*a fidelidad de Dios a su pacto es nuestra única esperanza.

Conclusión #3: Dios es fiel a su pacto y lo llevará a cabo.

Grande es su fidelidad

El 12 de octubre de 2010, me uní a las audiencias mundiales que veían las imágenes de televisión en directo de los primeros rescatadores que llegaban al lugar donde los mineros chilenos habían estado enterrados durante más de dos meses. Al final del día siguiente, todos los mineros y sus rescatadores habían salido a la superficie en uno de los rescates más sorprendentes de la historia del mundo. Los encargados de ejecutar el plan habían sido persistentes hasta que todos los hombres estuvieron a

La intervención de Dios

salvo. Su intervención se había convertido en un tremendo éxito.

En una magnitud mucho mayor, Dios ha hecho un pacto contigo y conmigo. La raza humana estaba enterrada bajo la culpa del pecado sin posibilidad de salvación. La solución solo podía venir de arriba, ¡y así fue! En la cruz, Jesús dio su vida por nosotros, interviniendo como nuestro Redentor y garantizando el éxito de la misión de rescate. Habrá momentos en los que nos faltará comprensión sobre las cosas que él permite, sobre lo que está haciendo y sobre sus tiempos. Sin embargo, el éxito de su intervención en nuestro favor ha sido garantizado con su sangre. Él erradicará el mal y el sufrimiento de una vez por todas. Escucharemos y veremos el cumplimiento de su promesa del pacto que se encuentra en toda la Biblia: *Yo seré su Dios, y ellos serán mi pueblo* (ver Apocalipsis 21:3).

Nuestra historia personal se está escribiendo dentro de la gran historia de la redención.

Dios siempre ha sido fiel a su pacto. Él hará lo que dijo que hará, porque en la cruz ya hizo lo que dijo que haría. Cuando, en nuestro viaje a la Tierra Prometida, elegimos la confianza en lugar de la ansiedad, llegamos a creer que él es fiel a su pacto incluso cuando no entendemos todo lo que ocurre en nuestra vida. Nuestra historia está siendo escrita dentro de una historia de redención mucho más grande. Solo Dios sabe cómo y dónde encajamos en el panorama más amplio. Sin embargo, ya nos ha dicho cómo termina la historia: ¡Jesús gana! ¡Y nosotros estamos con él! Coloca tu nombre en el espacio en blanco para personalizar la promesa de Dios: "Y oí una gran voz del cielo que decía: He aquí el tabernáculo de Dios con los hombres, y él morará con ellos; y ellos serán su pueblo, y Dios mismo estará con ellos como su Dios. Enjugará Dios toda lágrima de los ojos de _____; y ya no habrá muerte, ni habrá más llanto, ni clamor, ni dolor; porque las primeras cosas pasaron... *Hecho* está. Yo soy el Alfa y la Omega, el principio y el fin" (Apocalipsis 21:3, 4, 6, paráfrasis de la autora; énfasis añadido). Sí, *hecho* está. Confía en su fidelidad.

Al final del libro, en la página 93, hay unas preguntas para reflexionar sobre el contenido de este capítulo.

El poder de Dios

Nunca había visto a una madre luchar contra un secuestrador que intentaba llevarse a su hijo hasta que vi un video de una cámara de seguridad de una tienda. Lo vi una y otra vez. Esta mujer y su hija de trece años estaban de compras. De repente, un hombre agarró a la niña por el brazo y empezó a arrastrarla hacia la salida. La madre se lanzó contra el atacante y luchó, pero no podía con él. Sin perder tiempo, la madre se hechó encima de la niña. El delincuente intentó arrastrarlas pero no pudo, porque el peso de ambas era demasiado para él. Las soltó y se dio a la fuga, pero fue atrapado en la zona de estacionamiento. Esta madre fue muy valiente, e hizo todo lo necesario para defender a su hija y librarla del atacante. Utilizó todo lo que tenía, incluso su propio cuerpo, para salvar a su hija.

Este es un buen marco para estudiar el enfrentamiento entre Jehová y el faraón con sus dioses. Dios es un Padre que hace lo que sea necesario para liberar a sus hijos del opresor. Antes de que comenzaran las plagas, Jehová mismo envió a Faraón una advertencia por medio de Moisés, explicándole que Israel era su primogénito y que si no dejaba ir a Israel, se enfrentaría a graves consecuencias. "Y dirás a Faraón: Jehová ha dicho así: Israel es mi hijo, mi primogénito. Ya te he dicho que dejes ir a mi hijo, para que me sirva, mas no has querido dejarlo ir; he aquí yo voy a matar a tu hijo, tu promogénito" (Éxodo 4:22, 23). ¡Sí! Dios estaba dispuesto a hacer cualquier cosa para liberar a sus hijos.

Dios lucha por sus hijos y los protege.

Por cierto, si un padre no defiende a un hijo de un verdadero daño, crea terribles repercusiones que el niño experimentará el resto de su vida, pues, si el padre no defiende al niño, ¿quién lo hará? Desgraciadamente, hay familias que, por intentar mantener una falsa sensación de paz con parientes y amigos, no denuncian los abusos sexuales o físicos que sufren sus hijos por parte de personas cercanas. La seguridad de tus hijos debe ser lo primero. Cuando los defiendes de un peligro real, estás demostrando ser un padre según el corazón de Dios. Dios lucha por sus hijos; es una de las razones por las que podemos elegir la confianza en lugar de la ansiedad. Porque en el conflicto entre el bien y el mal, Dios lucha por nosotros. ¡La batalla es del Señor!

Volvamos a Egipto. Jehová está a punto de luchar con sus poderosos actos para liberar a sus hijos. Habrá una confrontación. ¿Es Jehová realmente más poderoso que los dioses de Egipto? El pueblo de Israel está esclavizado. ¿Es su Dios suficientemente poderoso como para liberarlos?

¡Oh, sí! ¡Jehová es supremo!

"Era Moisés de ochenta años, y Aarón de edad de ochenta y tres, cuando hablaron a Faraón" (Éxodo 7:7). ¿Te imaginas a estos dos hombres, avanzados en años, a punto de iniciar la etapa más sorprendente de sus vidas? Se presentaron ante el faraón, y Aarón arrojó su vara, la que se convirtió en una serpiente. El faraón llamó a sus hechiceros y ellos hicieron lo mismo: convirtieron sus varas en serpientes. ¡El enfrentamiento había comenzado! Pero entonces la vara de Aarón se tragó las varas de los hechiceros (vers. 10-12). ¡Jehová fue supremo desde el principio! En ese momento el faraón debió haberse dado cuenta de que estaba tratando con un poder mayor que todos los poderes malignos que tenía a su disposición, pero no lo hizo. Su corazón se endureció y no escuchó a Moisés y a Aarón. Fue entonces cuando Dios inició la lucha para liberar a su pueblo enviando calamidades sobre el faraón y su pueblo. Las primeras nueve plagas pueden dividirse en tres grupos de tres plagas en cada uno. Cada grupo comienza con una advertencia de Dios al faraón, que debía ser transmitida personalmente por Moisés (Éxodo 7:15; 8:20; 9:13). Este proceso iría en continua progresión, cada plaga añadiendo nuevos elementos de presión y persuasión para que el faraón y su pueblo entraran en razón. Pero el faraón, al igual que muchos de nosotros, era testarudo, y no quería reconocer el poder de Jehová. Quería hacer las cosas a su manera y no dejar ir al pueblo de Israel.

Dios ordenó a Moisés y a Aarón a que fueran a encontrarse con el

Confianza para el viaje de la vida

faraón por la mañana cuando se dirigía al Nilo (Éxodo 7:15). El mensaje para él incluía esta significativa frase: "Así ha dicho Jehová: En esto conocerás que *yo soy Jehová*" (vers. 17; énfasis añadido). El faraón se había negado a dejar ir a Israel diciendo "¿Quién es Jehová?" (ver Éxodo 5:2). Ahora, a través de los poderosos actos de Dios, el faraón estaba a punto de descubrir *quién es Jehová*. La primera plaga estaba a punto de comenzar.

"Y Moisés y Aarón hicieron como Jehová lo mandó; y alzando la vara golpeó las aguas que había en el río, en presencia de Faraón y de sus siervos; y todas las aguas que había en el río se convirtieron en sangre. Asimismo los peces que había en el río murieron; y el río se corrompió, tanto que los egipcios no podían beber de él. Y hubo sangre por toda la tierra de Egipto" (Éxodo 7:20, 21).

Es importante notar que esto sucedió "en presencia" del faraón y de sus siervos, lo cual es un poderoso argumento en contra de aquellos que tratan de explicar las plagas como eventos naturales; en este caso, afirmando que algún tipo de sedimento rojo corrompió el Nilo. No es así. ¡Jehová estaba luchando por los hijos de Israel! Los egipcios tuvieron que cavar alrededor del Nilo, en busca de agua para beber (vers. 24). Los magos del faraón no pudieron deshacer la calamidad, sino que la duplicaron, convirtiendo más agua en sangre, ¡y solo aumentaron el problema! No encontraron una solución para su pueblo. El faraón, en lugar de humillarse, se fue a su casa, "y no dio atención tampoco a esto" (Éxodo 7:23).

> *Por medio de los poderosos actos de Dios, Faraón estába a punto de descubrir quién es Jehová.*

Entonces llegaron las ranas. La segunda plaga llegó con una advertencia adicional de que el faraón se vería afectado personalmente: "Y el río criará ranas, las cuales subirán y entrarán en *tu* casa, en la cámara donde duermes, y sobre *tu* cama, y en las casas de *tus* siervos, en *tu* pueblo, en *tus* hornos y en *tus* artesas. Y las ranas subirán sobre *ti*, sobre *tu* pueblo, y sobre todos *tus* siervos" (Éxodo 8:3, 4; énfasis añadido). ¡Qué asco! ¡Puaj! ¿Ranas dentro de la cama y en los recipientes de amasar? ¡No, gracias! Los hechiceros volvieron a imitar la plaga, ¡y solo trajeron más ranas! (vers. 7). No están ayudando, ¿verdad? El nuevo elemento añadido a esta segunda plaga era que el faraón hizo una petición a Jehová por medio de

El poder de Dios

Moisés y Aarón; es su primer reconocimiento de Jehová. Pidió que las ranas fueran eliminadas, con la promesa de que dejaría ir al pueblo (vers. 8). Las ranas murieron por todas partes, y había montones de ellas (¿te imaginas el hedor?). Pero cuando la plaga terminó, el faraón cambió de parecer y endureció su corazón.

Entonces llegaron los piojos. El polvo se convirtió en piojos. Pero esta vez, en la tercera plaga, aparece un nuevo elemento: los hechiceros no pudieron reproducir la creación de piojos. Además, hicieron una confesión. Dijeron al faraón: "Dedo de Dios es éste" (vers. 19). Parece claro, ¿verdad? Pero el faraón no prestó atención ni siquiera a sus propios magos. Se atrincheró.

Estudié un concepto en comportamiento organizacional llamado "intensificación del compromiso", que describe la acción de seguir invirtiendo progresivamente en algo que va por mal camino. Debido a la inversión (de finanzas, emociones, tiempo, energía, etc.) que hemos puesto en el objeto de nuestro interés, seguimos vertiendo aún más recursos en él, con la esperanza de que se revierta. Cuanto peor se pone, más invertimos. Aumentamos nuestro compromiso a pesar de que no está resultando como esperábamos. ¿Te suena conocido? A mí sí. Parece que el faraón y su pueblo también van por ese camino, aunque estén sufriendo las consecuencias de su obstinación. Lo que no sabían era que Jehová también estaba a punto de intensificar sus poderosos actos para liberar a su pueblo.

No sobre mi pueblo

El segundo grupo de tres plagas comienza de nuevo con Jehová ordenando a Moisés a que se reúna con el faraón a primera hora de la mañana, cuando este sale al río (Éxodo 8:20). Para la cuarta plaga, Jehová enviaría insectos: "Y vino toda clase de moscas molestísimas sobre la casa de Faraón, sobre las casas de sus siervos, y sobre todo el país de Egipto; y la tierra fue corrompida a causa de ellas" (vers. 24). Asaf, en el Salmo 78, indica que estos insectos "los devoraban" (Salmo 78:45); por eso algunos estudiosos sugieren que estos insectos o moscas picaban o mordían a la gente, como hacen los tábanos. Sea lo que fuere, los molestaban lo suficiente como para que el faraón empezara a negociar con Moisés.

Confianza para el viaje de la vida

Primero, dijo que debían ofrecer sacrificios a Dios dentro del territorio egipcio (Éxodo 8:25). Después de que Moisés argumentara que esto no funcionaría, el faraón accedió a dejarlos ir, pero no muy lejos, y pidió que oraran por él (Éxodo 8:28).

Pero cuando Jehová les quitó los insectos, el faraón volvió a endurecer su corazón y anuló su promesa. Hay un par de elementos muy importantes en esta narración de la cuarta plaga. El primero es el intento del faraón de "negociar" con Moisés y Aarón. En segundo lugar, de aquí en adelante se hace una importante distinción entre los egipcios y el pueblo de Israel. Cuando se anunció la plaga de insectos, Jehová añadió lo siguiente: "Y aquel día yo apartaré la tierra de Gosén, en la cual habita mi pueblo, para que ninguna clase de moscas haya en ella, a fin de que sepas que yo soy Jehová en medio de la tierra. Y yo pondré redención entre mi pueblo y el tuyo. Mañana será esta señal" (vers. 22, 23).

Debemos creer que Dios es soberano y tiene total control y poder sobre nuestra vida.

Aunque su pueblo estaba en territorio egipcio, Jehová tenía el poder de protegerlo en esa tierra extranjera. ¡Aleluya! Si vamos a abandonar nuestra ansiedad en nuestro viaje a la Tierra Prometida, debemos creer que Dios es soberano y tiene total control y poder sobre nuestra vida, aunque vivamos en un mundo pecaminoso, en una "tierra extranjera". Es muy reconfortante entender que Dios sabe quiénes somos y dónde vivimos, y nos llama "*su*" pueblo. El mismo concepto se encuentra en el libro de Apocalipsis, donde un ángel viene a "sellar" a los siervos de Dios antes del fin (Apocalipsis 7:3). Un sello es una marca de propiedad, y antes de las tribulaciones finales Dios coloca su marca de propiedad en su pueblo, declarando a todo el universo: "¡Este es mío!" ¡Estoy tan agradecida por ser contada entre su pueblo mediante la sangre del Cordero! Puedes tener la misma seguridad cuando aceptas a Jesús como tu Salvador personal.

La quinta plaga fue una pestilencia mortal sobre el ganado (Éxodo 9:1-7). Esta plaga no fue solo un gran inconveniente, como las plagas anteriores, sino que hubo una pérdida real de propiedad, porque sus animales en el campo murieron: caballos, asnos, camellos, vacas y ovejas (vers. 3). Una vez más, el ganado de los hijos de Israel se salvó, y el faraón

El poder de Dios

sintió tanta curiosidad al respecto que, por primera vez, envió gente para confirmar que así era, y que no había muerto ni un solo animal de los israelitas (vers. 7). ¡Esto me ayuda tanto!

¡Qué pensamiento tan reconfortante! ¡Dios protege a los suyos!

Jesús fue victorioso; su triunfo fue sellado en la cruz.

La sexta plaga enviada por Jehová para liberar a su pueblo fue la aparición de úlceras, o llagas (Éxodo 9:8-12). Se hizo "delante de Faraón" y, por primera vez, afectó la salud tanto de los hombres como de las bestias. Incluso los hechiceros, que en el pasado habían tratado de replicar la intervención de Jehová, "no podían estar delante de Moisés a causa del sarpullido, porque hubo sarpullido en los hechiceros y en todos los egipcios" (vers. 11). No podían detener esto, no podían replicarlo, y no podían defenderse de ser afectados personalmente. Jehová estaba luchando por su pueblo, y los poderes del mal no podían prevalecer. Esto nos lleva a la conclusión de este capítulo, la cuarta lección que se añade a nuestro viaje del éxodo:

Conclusión #4: Dios lucha por sus
hijos y es victorioso sobre el mal.

No prevalecieron

A partir de este punto, Jehová iba a intensificar su intervención para obligar al faraón a sacar a todo el pueblo de Israel de Egipto (estudiaremos las plagas restantes en el próximo capítulo), y fue victorioso contra este poder opresor. Un concepto importante que debemos aprender en nuestro viaje a la Tierra Prometida celestial es que podemos vivir con la seguridad de la victoria de Dios sobre el mal. En el gran conflicto entre el bien y el mal, Jesús es victorioso; su triunfo fue sellado en la cruz. Dile no a la ansiedad sobre el futuro, o el juicio, o el miedo a los últimos días de este mundo. Nuestro Redentor es también nuestro Protector, y él pelea nuestras batallas. Sabemos cómo termina la historia: ¡Jesús gana!

Un jefe que tuve, Fred Kinsey, a menudo mencionaba una frase que se encuentra en Apocalipsis para destacar el poder victorioso de Jesús sobre el mal. "Después hubo una gran batalla en el cielo: Miguel y sus ángeles luchaban contra el dragón; y luchaban el dragón y sus ángeles; *pero no prevalecieron,* ni se halló ya lugar para ellos en el cielo" (Apocalipsis 12:7, 8; énfasis añadido). ¿Lo notaste? ¡*No prevalecieron*! Y no prevalecerán. "Porque mayor es el que está en vosotros, que el que está en el mundo" (1 Juan 4:4).

Como la mujer de la historia del comienzo, Jesús ha luchado contra el maligno usando todos sus recursos, incluso su propio cuerpo en la cruz, para salvarte. Y él te da su seguridad: "nadie las arrebatará [a sus ovejas] de mi mano" (S. Juan 10:28). Personaliza esta verdad, colocando tu nombre en el espacio en blanco. Jesús te dice: *"Nadie arrebatará a _____ de mi mano".* ¡Sí! Tú eres amado. Eres apreciado. Estás a salvo. ¡Adiós ansiedad! ¡Bienvenida confianza!

Al final del libro, en la página 93, hay unas preguntas para reflexionar sobre el contenido de este capítulo.

Capítulo 5

La protección de Dios

De camino a las cuevas de Tham Luang, grabó un mensaje de video diciendo que iba a ayudar a "traer a los chicos de vuelta a casa". El sargento mayor Saman Gunan, un SEAL jubilado de la marina tailandesa y oficial de patrulla en el aeropuerto de Bangkok, dejó su puesto para ofrecerse como voluntario en la misión de rescate para salvar a los doce chicos y su entrenador de fútbol atrapados en la cueva. Entrenado y en buena forma, se sumergió por el estrecho pasaje submarino, introduciendo tanques de oxígeno en la cueva. Lamentablemente, se quedó sin oxígeno y perdió la vida. Posteriormente, todos los atrapados en la cueva fueron rescatados; Saman fue la única víctima. Su objetivo de llevar a los chicos de vuelta a casa se cumplió a pesar de que perdió su propia vida.

Cuando el pueblo de Israel estaba a punto de ser liberado de Egipto, Dios dejó muy en claro que se pagaría un alto precio por su redención. Una vida sería sacrificada para que ellos pudieran vivir. El viaje a su nuevo hogar en la Tierra Prometida comenzaría con la plena conciencia de que se requeriría un rescate de sangre para liberarlos. Además, la muerte del cordero de pascua presagiaba el sacrificio definitivo: la vida del Hijo de Dios ofrecida en la cruz para que nosotros pudiéramos vivir eternamente.

Pero esto no fue un accidente. Era el plan de salvación desde la fundación del mundo. El hecho de que hayamos sido amados hasta la muerte es la verdad más importante que nos permite elegir la confianza sobre la ansiedad en nuestro viaje a la Tierra Prometida celestial. El verdadero amor ahuyenta el temor, y cuando entendemos que el amor de Dios por cada uno de nosotros supera su amor por sí mismo, entonces podemos empezar a vivir en la libertad que crea el verdadero amor. Dios es el Padre celoso, dispuesto a hacer lo que sea necesario para rescatar a sus hijos, incluso dando su propia vida para que podamos vivir.

Confianza para el viaje de la vida

Un Dios celoso

En el último capítulo, estudiamos las plagas en Egipto hasta la sexta, en la que hombres y animales fueron afectados por dolorosas úlceras. Pero incluso entonces el faraón no dejó ir a Israel. Fue entonces cuando Jehová anunció que estaba a punto de *intensificar* sus actos poderosos. Al comenzar el último grupo de plagas, una vez más se le dice a Moisés que se presente ante el faraón temprano en la mañana con un mensaje de Jehová: "Porque yo enviaré *esta vez todas mis plagas* a tu corazón, sobre tus siervos y sobre tu pueblo, para que entiendas que no hay otro como yo en toda la tierra" (Éxodo 9:14; énfasis añadido). A este mensaje le siguió la introducción de la séptima plaga: el granizo. Pero este no era un granizo común. Esta calamidad llegaría con una intensidad sin precedentes, y vino con una advertencia para proteger la vida: "Envía, pues, a recoger tu ganado, y todo lo que tienes en el campo; porque todo hombre o animal que se halle en el campo, y no sea recogido a casa, el granizo caerá sobre él, y morirá" (vers. 19). Esta sería la primera vez que se perderían vidas egipcias y se verían afectados los recursos vitales.

> *Algunos de los siervos del faraón temieron la palabra de Jehová, y por eso se prepararon.*

Algunos de los siervos del faraón temieron la palabra de Jehová y por eso se prepararon (vers. 20). Jehová envió truenos, granizo y fuego: "Y aquel granizo hirió en toda la tierra de Egipto todo lo que estaba en el campo, así hombres como bestias; asimismo destrozó el granizo toda la hierba del campo, y desgajó todos los árboles del país" (vers. 25, 26). ¿Te imaginas lo que debió ser vivir en Gosén y ver de lejos lo que sucedía? ¿Cómo te habrías sentido al darte cuenta de que tenías un Dios celoso que luchaba a tu favor y que estabas bajo su soberana protección? ¿Crees que esto podría ser cierto hoy en día?

El faraón reconoció su culpa (vers. 27), pero cuando todo terminó, una vez más endureció su corazón y no dejó ir al pueblo de Israel (vers. 34, 35). Luego vinieron las langostas que se comieron todo lo que había dejado el granizo. Durante la octava plaga, por primera vez los siervos del faraón intentaron razonar con él y persuadirlo de que dejara ir a los israelitas antes de que todo Egipto fuera destruido (ver Éxodo 10:7). Un nuevo

La protección de Dios

nivel de pánico se había instaurado, ya que la langosta estaba destruyendo los suministros de alimentos. ¿Morirían de hambre los egipcios?

Cuando era niña y pasaba algunos veranos en la casa de mis abuelos en Uruguay, recuerdo haber visto llegar nubes de langostas que cubrían todos los campos. Se comían todo lo que encontraban a su paso. La devastación en Egipto se describe con detalle: "Y subió la langosta sobre toda la tierra de Egipto... y cubrió la faz de todo el país, y oscureció la tierra, y consumió toda la hierba de la tierra, y todo el fruto de los árboles que había dejado el granizo; no quedó cosa verde en árboles ni en hierba del campo, en toda la tierra de Egipto" (Éxodo 10:14, 15).

Aunque antes de que llegaran las langostas el faraón había intentado negociar con Moisés para que se llevara solo a los hombres en su viaje y dejara atrás a los niños, ahora que la plaga se cernía sobre él y su pueblo, se apresuró a llamarlos de vuelta, pidiendo perdón y haciendo súplicas para que la plaga cesara. Pero cuando Jehová se llevó las langostas, ya sabes lo que pasó... y el pueblo de Israel seguía atrapado en Egipto.

La oscuridad

Nunca antes había experimentado un cese completo de todas las actividades sociales regulares hasta que la pandemia de COVID-19 golpeó a los Estados Unidos. No hace falta que te lo cuente, porque no fue solo un fenómeno local. El mundo entero se vio afectado. Todo pareció detenerse: los viajes, las reuniones sociales y religiosas, las compras (salvo las de alimentos), las salidas a comer con amigos y cualquier otra actividad pública. Hace poco tuve una conversación con una joven doctora que me dijo que lo único positivo que encontró en esta experiencia fue que se acercó más a Dios. Es notable cómo, en presencia de *algo más grande* que nosotros mismos, nos sentimos impulsados a buscar a *Alguien más grande* que nosotros.

Algunas personas creen que la novena plaga fue la más misericordiosa, porque todo se detuvo y obligó a la gente a pensar y reflexionar acerca de Jehová antes de la última y terrible décima plaga. La novena plaga trajo una oscuridad total (Éxodo 10:21-29). Era una oscuridad densa; una oscuridad que se "palpaba" (vers. 21). "Ninguno vio a su prójimo, ni nadie se levantó de su lugar en tres días" (vers. 23). ¡Todo Egipto estaba impotente! Hay que recordar que adoraban al dios-sol Atum/Ra, al que veneraban como el *sol eternamente naciente*. ¡Pero el sol había desaparecido! Todas las plantas verdes habían sido previamente destruidas por la langosta, pero ahora no había ninguna fuente de vida, ninguna luz natural disponible para cultivar las futuras cosechas. ¿Se enfrentaban a la extinción total? Por cierto, durante estos tres días, en todos los hogares de los hijos de Israel había luz (ver vers. 23).

> *En presencia de algo más grande que nosotros mismos, nos sentimos impulsados a buscar a Alguien más grande que nosotros.*

El faraón se desesperó. A lo largo de todo el proceso había negociado con Moisés y Aarón: primero para que se quedaran cerca mientras adoraban a Jehová, luego para que solo se llevaran a los hombres. Ahora acepta que los adultos y los niños vayan a adorar a Jehová, solo que dejen sus rebaños y manadas. Esto no era aceptable para Moisés. En respuesta, el faraón se enfureció y lo amenazó de muerte: "Retírate de mí; guárdate que no veas más mi rostro, porque en cualquier día que vieres mi rostro, morirás" (Éxodo 10:28). Sí, claro. El faraón estaba en la oscuridad total, no solo física sino espiritual. Y el pueblo de Israel, bueno, seguía esperando.

Una más

Esperar en Dios es algo que todos estamos llamados a experimentar. Dios no suele darnos todos los detalles específicos, paso a paso, de su plan para nosotros, porque no quiere que confiemos en el plan, sino que confiemos en él, en el Autor del plan.

Todos pasamos por períodos significativos de espera en nuestra vida. Cuando yo pasaba por uno de esos períodos, solía llevar un llavero con una inscripción que decía algo así: *No conozco el plan maestro, pero conozco al Maestro que tiene el plan*. ¿Cuánto tiempo llevas esperando que Dios te libere de tu situación actual? Es difícil seguir esperando en Dios cuando no vemos una salida. Lo sé. He pasado por eso. Los israelitas llevaban esperando más de cuatrocientos años, y siguieron esperando durante las nueve plagas. Ahora Moisés y Faraón habían llegado a un punto muerto. ¿Serían liberados los hebreos alguna vez? Fue entonces cuando Jehová

La protección de Dios

le dijo a Moisés: "*Una plaga traeré aún* sobre Faraón y sobre Egipto, después de la cual él os dejará ir de aquí; y seguramente os echará de aquí del todo" (Éxodo 11:1; énfasis añadido). ¡Una más! Solo Dios, en su soberanía, lo sabe: una hora más, un día más, una década más. Solo Dios lo sabe, nosotros no. Todo lo que podemos hacer es confiar en él, incluso cuando no entendemos su proceder. Él tiene en su corazón y en su mente los mejores planes para nosotros, pero no siempre entenderemos sus caminos.

Como fue anunciado al principio de las plagas (Éxodo 4:22, 23), ya era el momento de que Jehová liberara a su primogénito, Israel. Y como Egipto se negaba a dejar ir a Israel, Jehová decretó que "morirá todo primogénito en la tierra de Egipto, desde el primogénito de Faraón que se sienta en su trono, hasta el primogénito de la sierva que está tras el molino, y todo primogénito de las bestias" (Éxodo 11:5). La misma noche tendría dos resultados opuestos: Egipto sería juzgado con la muerte de sus primogénitos, e Israel, el primogénito de Jehová, sería liberado. Cuando el ángel de la muerte viniera sobre Egipto, su pueblo sería "pasado por alto".

> *Dios no quiere que confiemos en el plan; quiere que confiemos en él, el Autor del plan.*

Protección

Una nueva vida estaba a punto de comenzar para el pueblo de Israel. Ese mismo mes iba a marcar la inauguración de su calendario religioso, el cual estaría basado en el acto de redención de Dios. Debían matar un macho sin defecto de entre las ovejas o las cabras y poner su sangre en los dos postes y en el dintel de cada una de las casas. Jehová les dio a conocer su garantía: "Y la sangre os será por señal en las casas donde vosotros estéis; y veré la sangre y *pasaré* de vosotros, y no habrá en vosotros plaga de mortandad cuando hiera la tierra de Egipto" (Éxodo 12:13; énfasis añadido). ¡La sangre era su garantía!

Moisés llamó a los ancianos de Israel y les dio las instrucciones finales. La Pascua se convertiría en un memorial de la redención, una fiesta recordatoria para las generaciones futuras. Debían transmitir este acontecimiento a sus hijos año tras año, resaltando cómo sus hogares habían

Confianza para el viaje de la vida

sido salvados, pasados por alto, protegidos por la sangre del cordero. Cuando Moisés hubo explicado todo esto, "entonces el pueblo se inclinó y adoró" (Éxodo 12:27). ¡Adoraron! Me pregunto cuánto tiempo había pasado desde su último acto de adoración, en Éxodo 4:31. ¿Su pesadilla había terminado? ¿Había llegado el momento de su liberación?

Jesús murió para traer a sus hijos al hogar.

La ejecución de la última plaga se narra en solo dos versículos: "Y aconteció que a la medianoche Jehová hirió a todo primogénito en la tierra de Egipto, desde el primogénito de Faraón que se sentaba sobre su trono hasta el primogénito del cautivo que estaba en la cárcel, y todo primogénito de los animales. Y se levantó aquella noche Faraón, él y todos sus siervos, y todos los egipcios; y hubo un gran clamor en Egipto, porque no había casa donde no hubiese un muerto" (Éxodo 12:29, 30). ¡Todos los hogares se vieron afectados! No puedo ni empezar a imaginarme tal cuadro de abatimiento.

El faraón llamó a Moisés y a Aarón y les dijo que tomaran a todo el pueblo de Israel, incluyendo sus rebaños y manadas, ¡y se fueran! Como fue profetizado en Éxodo 3:19 al 22, el pueblo egipcio instó a Israel a marcharse, y les daba artículos de plata y oro, y ropa (Éxodo 12:35, 36). Si tú, como yo, has esperado algo durante mucho, mucho tiempo, quizá también sientas la misma emoción que yo al leer el último versículo de esta sección: "Y pasados los cuatrocientos treinta años, en el mismo día todas las huestes de Jehová salieron de la tierra de Egipto" (Éxodo 12:41). ¡Sí! Había llegado el momento de la libertad, y Dios había cumplido su pacto con Abraham (ver Génesis 15:12-14). Por fin el juicio había llegado sobre los opresores, mientras que el pueblo de Israel había sido protegido de ese juicio por la sangre en los postes de sus puertas. Esto nos lleva a la conclusión de este capítulo:

Conclusión #5: ¡No tengas miedo! La sangre
del Cordero nos protege del juicio.

Nuestro Cordero de Pascua

El miedo al futuro y al juicio final puede producir la más paralizante

La protección de Dios

y profunda ansiedad. Todos queremos y necesitamos saber que estamos protegidos, pase lo que pase. Tal vez el pueblo de Israel no comprendía del todo que la sangre en los postes de las puertas de sus casas anunciaba la Cruz. Lo único que sí sabían era que la sangre era el signo que garantizaba la vida y la libertad.

Siglos después, Jesús estaba participando de una comida conmemorativa de la Pascua, y de pronto se detuvo para enseñar a sus discípulos que esta comida simbólica se refería a él mismo: "Esto es mi sangre del nuevo pacto, que por muchos es derramada" (S. Marcos 14:24).

Jesús fue nuestro Cordero de Pascua (1 Corintios 5:7), sacrificado por nosotros. Su sangre nos protege del juicio y la condena. Murió para "traer a los hijos de vuelta a casa". Por eso creemos en *la salvación por la fe*. No importa cuán oscuros hayan sido tus pecados, cuando creas en el sacrificio de Jesús por *ti*, y coloques simbólicamente su sangre en los postes de *tu* puerta, serás "pasado por alto".

Estas son las buenas noticias del evangelio. "Pero Dios demuestra su amor por nosotros en esto: en que cuando todavía éramos pecadores, Cristo murió por nosotros. Y ahora que hemos sido justificados por *su sangre, ¡con cuánta más razón, por medio de él, seremos salvados del castigo de Dios!*" (Romanos 5:8, 9, NVI; énfasis añadido). Él murió para que tú puedas vivir. Coloca tu nombre en el espacio en blanco para interiorizar esta asombrosa realidad: _____ será salvado/a por la sangre de Cristo. Punto. Hecho. ¿Crees en esto? ¡Aleluya!

Al final del libro, en la página 94, hay unas preguntas para reflexionar sobre el contenido de este capítulo.

CAPÍTULO 6

La redención de Dios

Hay diferentes clases de milagros. Hay milagros que Dios realiza cada día mediante actos providenciales, "detrás del telón". Algunas personas los llaman *coincidencias*, pero los creyentes en Dios los llamamos *milagros*. También hay situaciones y sucesos que pueden desconcertarnos a tal punto que incluso los creyentes nunca los entenderemos aquí en este mundo, pero Dios nos los explicará del otro lado de la eternidad. Y hay otros milagros tan obvios como cuando Dios abrió el Mar Rojo frente a los israelitas. Mi familia experimentó uno de esos cuando yo era una bebé. He compartido esto en mis libros anteriores, pero vale la pena repetirlo.

Mi padre era pastor y fue a visitar a alguien en un lugar remoto; mi madre y yo, que para entonces era bebé, fuimos a hacerle compañía. En el camino de vuelta nuestro pequeño automóvil se dañó en un lugar muy desolado, y pronto cayó la noche. Las posibilidades de que otro vehículo pasara pronto por ahí eran muy escasas. Mi padre intentó averiguar qué le pasaba al automóvil, y fue entonces cuando se dio con la mala noticia: se había roto una pieza, lo que hacía imposible que arrancara. Con los trozos de la pieza rota en la mano, volvió al interior del vehículo para compartir la mala noticia con mi madre. Necesitaban un milagro y decidieron pedirlo. Sabiendo que era mecánicamente imposible que el auto arrancara, oraron para que Dios realizara un milagro que les permitiera conducir hasta un lugar donde pudiéramos recibir ayuda. Entonces mi padre giró la llave, ¡y el automóvil arrancó! Condujeron varios kilómetros hasta llegar a la autopista principal, y entonces el vehículo volvió a detenerse, esta vez de forma definitiva. Ahí pudimos encontrar transporte público para volver a casa, y mi padre volvió al día siguiente para cambiar la pieza rota y conducir el vehículo hasta la casa. Mi padre contó esta

La redención de Dios

historia muchas veces, a menudo con lágrimas en los ojos. Como puedes imaginar, este acontecimiento se convirtió en un hito en la historia de nuestra familia.

Nuestro Dios se especializa en hacer posibles las imposibilidades. Si te encuentras en medio de una situación *sin salida*, algo sobre lo que no tienes ningún poder, sigue leyendo. Este capítulo es para ti. Israel está a punto de enfrentar una situación completamente imposible y sin salida, y está a punto de descubrir de qué es capaz su Dios.

¡No hay salida!

Cuando las cosas se vuelven "desconcertantes" y no entendemos lo que está sucediendo, la preocupación puede tomar el control. Por eso, elegir la *confianza* sobre la *ansiedad* es una decisión continua; es una elección que hacemos día a día, y a veces hora a hora. Pero cuando nos enfrentamos a una situación que por medios humanos es imposible enfrentar, podemos entrar en pánico, aunque sepamos que Dios está con nosotros y que ha hecho grandes cosas por nosotros en el pasado. Esto es lo que ocurrió con el pueblo de Israel.

Elegir la confianza sobre la ansiedad es una decisión continua.

Los israelitas habían abandonado la tierra de sus opresores y ahora estaban rodeados de recordatorios de la presencia del Dios del pacto. Llevaban consigo los huesos de José, como el gran ministro lo había pedido, pues estaba seguro de que Dios cumpliría el pacto que había hecho con Abraham (Génesis 50:24-26; Éxodo 13:19). Además, "Jehová iba delante de ellos de día en una columna de nube para guiarlos por el camino, y de noche en una columna de fuego para alumbrarles, a fin de que anduviesen de día y de noche" (Éxodo 13:21). Tenían una visualización de la presencia de Dios entre ellos. La columna de nube y la de fuego los guiaban y protegían. ¿Qué más podían necesitar? Entonces Dios parece tomarlos por sorpresa.

Jehová les dice que den la vuelta y se alejen de la ruta lógica que estaban siguiendo. Espera, ¿qué? ¿Por qué haría Dios algo tan *ilógico*? ¿Te suena conocido? La verdad es que Jehová tenía el control de todo;

incluso sabía de antemano lo que el faraón pensaría de esta ruta "ilógica". (Lee Éxodo 14:1-4.) En última instancia, este camino inesperado traería honor a Jehová. ¿De verdad? ¿Cómo? Espera y verás. Bueno, la verdad es que Dios los puso en una situación sin salida, rodeados de montañas a ambos lados, y de agua al frente. ¿Te has preguntado alguna vez por qué Dios haría algo así?

Cuando el faraón se enteró de que Israel había huido y parecía vagar sin rumbo por el desierto, se dio cuenta de que había perdido su mano de obra barata, y decidió recuperarla. Tomó sus seiscientos carros selectos y todos los demás carros con sus oficiales y persiguieron a Israel. Cuando el pueblo miró hacia atrás y vio la formidable fuerza egipcia que los perseguía, ¡entró en pánico! Y en lugar de decidir confiar en que de nuevo Jehová los libraría milagrosamente, como había hecho durante las plagas, alzaron la voz para lamentar su estado, deseando volver a la esclavitud. Sus clamores se narran en forma de tres preguntas: "¿No había sepulcros en *Egipto*, que nos has sacado para que muramos en el desierto? ¿Por qué has hecho así con nosotros, que nos has sacado de *Egipto*? ¿No es esto lo que te hablamos en *Egipto*, diciendo: Déjanos servir a los *egipcios*? Porque mejor nos fuera servir a los *egipcios*, que morir nosotros en el desierto" (Éxodo 14:11, 12; énfasis añadido). Egipto, Egipto, Egipto. Oh, ¡cómo anhelaban Egipto!

¿No es interesante que, a la primera señal de problemas, solemos elegir lo conocido en lugar de lo sano y saludable? Eso requiere profunda reflexión. A menudo elegimos lo conocido en lugar de lo sano. Pero, también podemos elegir confiar en Dios para que abra una nueva salida, una que es imposible para nosotros.

La salida de Dios

Hace más de dos décadas, Dios pareció permitir una situación sin salida en mi vida. Pedí consejo a un pastor que tenía muchos años de experiencia como consejero. Él me leyó estos dos versículos del libro de Éxodo y los aplicó a mi situación. Desde entonces, estas palabras me han acompañado: "No temáis; estad firmes, y ved la salvación que Jehová hará hoy con vosotros; porque los egipcios que hoy habéis visto, nunca más para siempre los veréis. Jehová peleará por vosotros,

La redención de Dios

y vosotros estaréis tranquilos" (Éxodo 14:13, 14). ¡Me quedé sin palabras! Mi parte era quedarme tranquila, quieta, viendo lo que el Señor haría. A menudo necesito esta promesa, ¿y tú? El Señor *luchará* por ti mientras *te quedas tranquilo*. ¡Qué increíble!

Al pueblo de Israel se le instó a confiar en que Jehová lucharía por ellos y lograría la salvación. ¿Y qué pasaría con sus opresores? ¡No los verían más! Hay en esta promesa un interesante juego de palabras relacionado con "ver" y "no ver". Ellos iban a tomar su posición y *ver* la salvación de Jehová, pero a los egipcios que *habían visto*, ¡no volverían a *verlos*! Dios estaba cambiando el escenario, invitándolos a *ver* una nueva realidad. ¿Te has fijado en la descripción del papel del pueblo en esas circunstancias? "Estar tranquilos". Bueno, esa fue la parte más difícil para mí. Tal vez tú, como yo, has intentado hacer algo, como añadir un poco de ayuda de alguna manera. Pero cuando entendemos las buenas nuevas del evangelio, descansamos del intento de tratar de ganarnos el camino a la Tierra Prometida. La salvación es un regalo de Dios por medio de la sangre de Jesús. Punto.

El Dios de la Pascua es también el Dios del cruce al otro lado.

Creo que es bastante paradójico que Dios luego dé instrucciones para que Israel marchara adelante (vers. 15). ¿Adelante? ¿Adónde deben ir, exactamente? El Señor le dijo a Moisés: "Y tú alza tu vara, y extiende tu mano sobre el mar, y divídelo, y entren los hijos de Israel por en medio del mar, en seco" (vers. 16). ¿Tierra seca? Oh, sí. ¡Esto se haría a la manera de Dios! El "GPS" de Dios no estaba roto después de todo. Su GPS (sistema de posicionamiento de gracia) tiene una capacidad que nuestro GPS no tiene: su GPS no se limita a guiar, sino que *crea* nuevas rutas, en este caso, a través del mar. Dios *creó un camino* donde no había camino. No lo olvides: el Dios de la Pascua es también el Dios del cruce al otro lado.

El cruce

Este poderoso milagro de Jehová se narra en dos versículos: "Y extendió Moisés su mano sobre el mar, e hizo Jehová que el mar se retirase por recio viento oriental toda aquella noche; y volvió el mar en seco, y las aguas quedaron divididas. Entonces los hijos de Israel entraron por en medio del mar, en seco, teniendo las aguas como muro a su derecha y a su izquierda" (Éxodo 14:21, 22).

Jehová había orquestado todo y realizó lo que prometió. Sus hijos caminaron en medio del mar, sobre tierra seca. ¡Nada es imposible para Dios! ¡Nada! Este cruce milagroso quedaría como un testimonio para las generaciones futuras, y como un recordatorio de que tanto la batalla como el cruce pertenecen al Señor. Él había hecho un camino donde no lo había. Por cierto, todavía lo hace.

Cuando el faraón y su ejército siguieron al pueblo, Dios hizo que sus carros tuvieran dificultades (vers. 24, 25), y entonces los egipcios reconocieron lo que deberían haber entendido mucho antes: "Huyamos de delante de Israel, porque *Jehová pelea por ellos contra los egipcios*" (vers. 25; énfasis añadido). ¡Oh, sí, estaba peleando por ellos! ¡La batalla era, y es, del Señor! Uno pensaría que cuando presenciaron el milagro de la separación de las aguas, ¡se habrían detenido! Pero estaban empeñados en perseguir a Israel, ¡y no advirtieron que estaban entrando en el terreno de lo sobrenatural! Moisés extendió su mano, y las aguas cubrieron a todo el ejército; ni uno de ellos se salvó (Éxodo 14:26-28). El mismo camino seco en el mar resultó en la liberación de Israel y la desaparición de los egipcios. Dos resultados opuestos en el mismo lugar.

> *Tanto la batalla como el cruce le pertenecen al Señor.*

¿Recuerdas cómo Dios les había dicho que tomaran su posición y *vieran*? Bueno, la conclusión de esta sección destaca lo que *vieron*: "Así salvó Jehová aquel día a Israel de mano de los egipcios; e Israel *vio* a los egipcios muertos a la orilla del mar. Y *vio* Israel aquel grande hecho que Jehová ejecutó contra los egipcios; y el pueblo temió a Jehová, y creyeron a Jehová y a Moisés su siervo" (vers. 30, 31; énfasis añadido). *Vieron* los cuerpos de los soldados egipcios, y *vieron* el gran poder de Jehová, creyeron, y luego celebraron.

La canción

¡Tratemos de imaginar las emociones que fluyeron libremente cuando se dieron cuenta de que habían sido liberados completamente! Tras cientos de años de esclavitud, ¡ahora eran *libres*! Me imagino que alguien

La redención de Dios

empezó a cantar, luego un par de personas más se unieron, y luego cientos y miles de ellos añadieron sus exuberantes voces, hasta que se convirtió en un coro masivo, ¡alabando y adorando a Jehová de todo corazón! Su cántico de celebración se registra en Éxodo 15:1 al 18; y aunque en la mayoría de las Biblias se titula "El canto de Moisés", en realidad se trata de Jehová y de sus poderosos actos:

> "Cantaré yo a Jehová, porque se ha magnificado grandemente;
> Ha echado en el mar al caballo y al jinete.
> Jehová es mi fortaleza y mi cántico, y ha sido mi salvación.
> Éste es mi Dios, y lo alabaré; Dios de mi padre, y lo enalteceré"
> (Éxodo 15:1, 2).

La canción menciona diez veces a Jehová, destacando su poderío, su protección, sus logros, su fidelidad y su reinado perpetuo. Además, la canción menciona una de mis palabras favoritas de toda la Biblia.

La palabra *go'el* es un término hebreo que significa pariente-redentor, el pariente más cercano que podía hacer por ti lo que nadie más podía. El tema del pariente-redentor es uno de mis temas favoritos en la Biblia, al grado de que escribí dos libros sobre este asunto.* Si estabas esclavizado por deudas u otras razones, tu *go'el* tenía la responsabilidad de pagar el rescate para liberarte. Esta era una de las muchas funciones redentoras del *go'el*, el pariente-redentor.

Vive a la expectativa de los poderosos actos de Dios.

En esta canción, esta palabra es utilizada como verbo: "Condujiste en tu misericordia a este pueblo que *redimiste*" (vers. 13; énfasis añadido). ¡Sí! Israel era hijo de Jehová, y él era su Pariente-Redentor. Había que pagar un alto precio de rescate por su redención final, que fue prefigurado por el cordero de la Pascua. ¡Me encanta! Tómate un momento para leer el cántico completo. Se trata de una de las mayores celebraciones de la Biblia.

Al final del cántico se destaca un detalle curioso: "Y María la profetisa, hermana de Aarón, tomó un pandero en su mano, y todas las mujeres salieron en pos de ella con panderos y danzas" (Éxodo 15:20).

Confianza para el viaje de la vida

Me pregunto: *¿Quién empaca un pandero?* Imagina a María (también llamada Miriam) haciendo su maleta para cruzar el desierto: un par de sandalias extra, algo para cubrirse por la noche y, ¡un pandero! ¿Por qué haría eso? Miriam, la hermana de Moisés, inteligente y decidida, es la primera mujer de la Biblia a la que se le llama *profetisa*. En esta escena, dirige a todas las mujeres, que también tenían sus panderos, en una exuberante experiencia de adoración. *¿Quién lleva un pandero?*, te preguntarás. Alguien que espera tener un motivo para celebrar a lo grande. En otras palabras, alguien que vive a la expectativa de los poderosos actos de Dios. Y por cierto, no permitas que nada ni nadie te quite *tu pandero*.

Nuestras imposibilidades son las posibilidades de Dios, pues nada es imposible para él. Esto nos lleva a nuestra lección #6, la conclusión de este capítulo:

Conclusión #6: Dios se especializa en resolver imposibilidades, de las cuales nuestra redención es la que más le costó.

El cántico del Cordero

No es la última vez que oiremos hablar de este cántico entonado a la orilla del mar y registrado en Éxodo 15. Vuelve a aparecer al final de la Biblia, en Apocalipsis 15. Los redimidos están junto al mar, esta vez el mar de cristal. Y ellos también, como los israelitas, tienen instrumentos musicales en sus manos ¡y están cantando! Entonces se nos dice que el "cántico de Moisés" es también el "cántico del Cordero" (Apocalipsis 15:3). El primer cántico junto al Mar Rojo fue una anticipación del verdadero cántico junto al mar de cristal. Se trata del Cordero y de sus grandes y maravillosas obras (vers. 4). Siempre se trata del Cordero, que pagó nuestro rescate con su propia vida, haciendo posible lo que era imposible. Ya no puedo esperar para cantar allí, ¡a todo pulmón!

¿Te enfrentas hoy a una imposibilidad? Mira la Cruz y recuerda de lo que tu Dios es capaz. Confiemos en él, sobre todo cuando no veamos una salida.

Tengo un desafío para todos nosotros: ¡Tomemos nuestros panderos ahora, de este lado de la eternidad! Hemos puesto su sangre en nuestros

La redención de Dios

"postes"; ¡hemos sido redimidos! ¿Qué tal si empezamos a cantar ahora, confiando en que cruzaremos a la Tierra Prometida porque él ha abierto un camino donde no lo había? Confiemos en que el Dios de la Pascua es también el Dios del cruce al otro lado. Ya puedo oír la canción: ¡He sido redimido! ¡Por la sangre del Cordero!

Al final del libro, en la página 94, hay unas preguntas para reflexionar sobre el contenido de este capítulo.

* Elizabeth Viera Talbot, *Sorprendidos por amor* (Nampa, ID: Pacific Press®, 2010), y Elizabeth Viera Talbot, *Yo os haré descansar* (Nampa, ID: Pacific Press®, 2015).

Capítulo 7

La provisión de Dios

Tengo muy buenos recuerdos de mi infancia. Tuve padres piadosos que siempre suplieron mis necesidades, y que se sacrificaron para que yo pudiera crecer en un hogar acogedor. No teníamos mucho dinero, pero nunca me faltó nada. Tengo claros recuerdos del ingenio y la creatividad de mi madre. Una vez cuando yo necesitaba ropa nueva, ella creó un hermoso vestido rojo y blanco utilizando el material de uno de sus vestidos y un suéter mío. Cuando, de joven, me mudé a mi primer apartamento, necesitaba comprar muebles pero no tenía suficiente dinero, y quise pedir un préstamo. Sin embargo, los tipos de interés en aquella época en mi país de origen eran muy volátiles y no eran fijos, y a veces la gente podía terminar con cuotas descomunales que no podían pagar. Como siempre, mis padres idearon una solución: encontraron la manera de pagar los muebles por adelantado, y luego yo les hice los pagos a ellos, ¡sin intereses!

Podría seguir hablando de las asombrosas maneras en que me ayudaron. Toda mi vida tuve su apoyo incondicional. No es de extrañar que confiara en ellos.

Uno pensaría que a estas alturas los hijos de Israel confiarían plenamente en Jehová, quien los había liberado de Egipto y había abierto el Mar Rojo para que lo cruzaran por tierra seca. Pero no era así. Cada vez que encontraban dificultades se angustiaban y murmuraban. ¿Acaso el Dios de la Pascua y del cruce no atendería también sus *otras* necesidades? Jehová aprovechó estas oportunidades para revelar un poco más de sí mismo como su Proveedor. Incluso hoy, en situaciones difíciles, nos revela otros aspectos de su amor y su gracia.

De lo amargo a lo dulce

Después de la milagrosa liberación, el pueblo de Israel viajó por el

La provisión de Dios

desierto durante tres días sin encontrar agua. Esta fue la primera dificultad que tuvieron "del otro lado" del mar. El agua es básica para vivir, y la sed intensa es una de las condiciones más desesperantes. Ellos, que habían sido redimidos milagrosamente, ¿morirían ahora de sed? Me los imagino preguntándose: *¿Podrá el Dios que dividió las aguas proveernos ahora agua para beber?* Por fin llegaron a un lugar donde había agua. Con grandes expectativas corrieron a saciar su sed. Pero cuando probaron el agua, ¡resultó ser amarga! Es muy devastador tener grandes expectativas y luego sentir que tu corazón se hunde porque no se cumplen. Estoy segura de que sabes a lo que me refiero. Cuando nuestras expectativas se frustran, puede parecer poco realista reemplazar la ansiedad con la confianza. Sin embargo, Dios utiliza estas situaciones para revelar un nuevo aspecto de su cuidado por nosotros.

"Y llegaron a Mara, y no pudieron beber las aguas de Mara, porque eran amargas [*marim* en hebreo]" (Éxodo 15:23). No sabemos la ruta exacta que siguió Israel, pero en esa zona todavía se puede encontrar lugares con aguas amargas. Desesperado, el pueblo *murmuró* contra Moisés (vers. 24).

Con el tiempo, el pueblo de Israel se convirtió en un experto *murmurador*, algo que nos ocurre cuando elegimos habitualmente la ansiedad en lugar de la confianza. Moisés, a su vez, clamó a Jehová, algo que él haría *habitualmente* durante los siguientes cuarenta años; pero no nos adelantemos. Jehová respondió. Dios siempre responde a nuestros clamores, aunque no siempre de la manera que esperamos, porque tiene un punto de vista diferente del nuestro. Un ejemplo de ello es la forma en que Jehová respondió a Moisés esta vez.

"Moisés clamó a Jehová, y Jehová le mostró un árbol; y lo echó en las aguas, y las aguas se endulzaron" (vers. 25). Espera. ¿Qué? ¿Un *árbol*? Sí, un árbol. No tenemos información sobre este árbol, aparte de que cuando fue arrojado a las aguas amargas, estas se volvieron dulces. Piensa en ello. En lugar de llevarlos a otro lugar, Jehová convirtió el mismo lugar de decepción en lugar de provisión. Las mismas aguas pasaron de amargas a dulces. Esto me da una gran seguridad, porque a veces Dios no nos saca de un lugar, relación o situación amarga; en cambio, demuestra su capacidad de sanar, convirtiendo el mismo lugar en algo dulce para su gloria. ¿Y por qué un árbol? La Biblia no lo dice, pero sugeriré una razón al final de este capítulo.

Entonces Jehová procedió a revelar que si escuchaban su voz como su Dios, no experimentarían las enfermedades de los egipcios, porque "Yo soy Jehová tu sanador" (Éxodo 15:26). "Jehová tu sanador", *Jehová Roph'eka*, era un nuevo aspecto de la provisión de Dios con el que podían contar. Dios no solo quería "sanar" sus aguas, quería sanar aun más su corazón. ¿Necesitas sanamiento?

> *Dios no solo quería sanar sus aguas, sino también su corazón.*

Que esta antigua experiencia te recuerde que Dios desea sanarte de toda ansiedad y traer su paz a tu alma. No importa el desierto por el que estés atravesando, él te asegura su presencia permanente.

Después de escuchar lo que Dios quería enseñarles en Mara, viajaron a Elim (que significa "árboles grandes"), donde acamparon junto a doce manantiales de agua y setenta palmeras datileras (vers. 27). ¿No es interesante? No muy lejos de Mara había un lugar con mucha agua y árboles, pero Jehová eligió las aguas amargas para revelarse como su Sanador. A menudo hace lo mismo en nuestra vida. ¿Confiaremos en su capacidad de convertir las aguas amargas en dulces? A Israel le costó mucho confiar en que Dios proveería para sus necesidades, y siguió cuestionando su fidelidad.

¿Qué es esto?

Cerca de un mes después de salir de Egipto Israel llegó al desierto de Sin, donde comenzó a murmurar una vez más porque tenía hambre. *Murmurar* significa expresar descontento de forma malhumorada. Y los israelitas murmuraron *cinco veces* en doce versículos (Éxodo 16:1-12). ¿La razón de sus quejas? No lo vas a creer: ¡no paraban de hablar de lo maravilloso que era Egipto! ¡Cómo nunca habían pasado hambre allí! ¡Cómo Jehová debió haberlos dejado morir en la tierra de Egipto! ¡Vaya! ¡Con qué facilidad volvemos a elegir lo conocido en lugar de lo saludable! "Ojalá hubiéramos muerto por mano de Jehová *en la tierra de Egipto*, cuando nos sentábamos a las ollas de carne, cuando comíamos pan hasta saciarnos; pues nos habéis sacado a este desierto para matar

La provisión de Dios

de hambre a toda esta multitud" (versículo 3; énfasis añadido). ¿Puedes creerlo? Números 11:5 proporciona un poco más de información sobre su alimentación en Egipto: "¡Cómo echamos de menos el pescado que comíamos gratis en Egipto! ¡También comíamos pepinos y melones, y puerros, cebollas y ajos!" (NVI). Hablan con tanto cariño de Egipto, ¿verdad? Me pregunto si ya se habían olvidado de cómo habían sido esclavizados y oprimidos. Lo único que recordaban ahora eran las ollas de carne y el pan que comían hasta saciarse. Y encima, ¡acusan a sus líderes de querer matarlos!

Pero a pesar de sus quejas, Jehová no los abandona. Por el contrario, les proporciona carne por la noche y pan por la mañana (ver Éxodo 16:8, 12). Además de satisfacer su hambre, esto tenía un propósito adicional: "Y sabréis que yo soy Jehová vuestro Dios" (vers. 12). Por obra del Señor, subieron codornices al atardecer y cubrieron el campamento (vers. 13), y así de fácil tuvieron carne.

Dios tiene mil recursos donde yo no tengo ninguno.

Permíteme hacer un paréntesis aquí. Cuando me concentro en el poder de Dios para suplir mis necesidades, mi nivel de ansiedad baja inmediatamente. Dios tiene mil recursos donde yo no tengo ninguno. Mi impotencia es su oportunidad, y él es capaz de conseguir cualquier cosa, en cualquier lugar. Él creó el universo y lo ha mantenido desde entonces. ¿No crees que puede proveer lo que necesitas hoy, mañana y pasado mañana? Además, él no está limitado por nada, y lo controla todo. Recuerda que sus milagros siempre van precedidos de una imposibilidad humana. Por lo tanto, si te encuentras en medio de una situación imposible hoy, ¡eres candidato para un milagro!

¿Y el pan que Jehová había prometido? Me alegro de que preguntes. Por la mañana, "cuando el rocío cesó de descender, he aquí sobre la faz del desierto una cosa menuda, redonda, menuda como una escarcha sobre la tierra. Y viéndolo los hijos de Israel, se dijeron unos a otros: '*¿Qué es esto?*'" (Éxodo 16:14, 15; énfasis añadido). Y esa pregunta se convirtió en su nombre, porque "¿qué es esto?" en hebreo es *man-hu*; de ahí su nombre tal como lo conocemos: *maná*. Cuando el pueblo de Israel preguntó: "¿Qué es esto?" Moisés respondió: "Es el pan que Jehová os da para comer" (vers. 15).

Confianza para el viaje de la vida

El maná era blanco y sabía como *hojuelas con miel* (vers. 31), ¡y lo comieron todos los días durante cuarenta años! Dios respondió a su petición de una manera *inesperada*. ¡Pan del cielo! A lo largo del viaje del éxodo Dios satisfizo a menudo sus necesidades de forma poco convencional: pan del cielo, agua de una roca, un camino seco en medio del mar. Incluso ahora, rara vez Dios nos suministra lo que necesitamos de la manera que habíamos planeado o esperado, pero siempre nos proporciona exactamente lo que necesitamos. Por eso podemos confiar en él y *descansar*.

Descanso

El maná fue dado con instrucciones muy específicas, diseñadas para enseñar al pueblo a confiar en Dios como su Proveedor. Todas las mañanas debían recoger lo que necesitaban para un solo día, y no dejar nada para la mañana siguiente (ver Éxodo 16:16-21), ya que lo que quedara se echaría a perder. Pero algunas personas se pusieron ansiosas y se preguntaron si Dios sería fiel a su promesa de proveer diariamente, y recogieron más de lo necesario. Pronto descubrieron que ese pan criaba gusanos (vers. 20). Dios proveería este pan del cielo todas las mañanas, excepto el séptimo día: "Seis días lo recogeréis; mas el séptimo día es día de reposo; en él no se hallará" (vers. 26). El sábado era un día sagrado de descanso para adorar a Jehová, porque él era el Proveedor de sus necesidades físicas y espirituales (vers. 22-30).* En el sábado sagrado no habría maná para recoger. En cambio, el sexto día recogerían maná para dos días, y se conservaría milagrosamente, sin estropearse el séptimo día (vers. 23, 24). De nuevo, algunos desoyeron el mandato de Dios y salieron a recoger maná en sábado; pero no lo encontraron, pues el Señor quería que descansaran en ese día. Poco a poco empezaron a confiar en que su Creador y Redentor era también su Proveedor: "Así el pueblo *reposó* el séptimo día" (vers. 30; énfasis añadido). Me encanta este versículo. ¡Por fin descansaron! Jehová había provisto para todas sus necesidades, ¡y podían confiar en él! La palabra utilizada en Éxodo 16:23 para el descanso sabático en el Antiguo Testamento griego (*anapausis*, LXX) es la misma que utilizó Jesús cuando nos ofreció su descanso: "Venid a mí todos los que estáis trabajados y cargados, y yo os haré

La provisión de Dios

descansar [*anapausō*]. Llevad mi yugo sobre vosotros, y aprended de mí, que soy manso y humilde de corazón; y hallaréis *descanso* [*anapausis*] para vuestras almas" (S. Mateo 11:28, 29; énfasis añadido). El día de descanso sabático tiene como objetivo señalarnos nuestro descanso en Jesús. Siempre.

Una vez le dije a mi esposo que quería que cuando muriera, grabaran estas palabras en mi lápida: "Ella era un alma *sabática*. Entró en el *descanso de Dios* muchos años antes de morir". Quiero vivir *descansando* en Cristo, quien proporcionó todo lo necesario para mi salvación. Este es un concepto profundo para mí. Unos minutos después, recibí una llamada telefónica de mi marido: "¿Quieres esa inscripción en granito o en metal?". Me quedé sin palabras. Había ido a una tienda de trofeos a comprar algo para su nieta, y vio las lápidas. Decidió hacerme una broma, y debo añadir que con mucho éxito. ¿No te gustaría vivir tu vida "en reposo", confiando en que Dios vela por ti en cada situación? Sin duda, podemos cambiar nuestra ansiedad por confianza en Aquel que murió para que tuviéramos vida eterna. Podemos descansar creyendo que Aquel que nos creó y nos ha redimido, también nos sustentará y sostendrá en nuestro viaje a la Tierra Prometida. Esto nos lleva a la lección principal que aprendemos en este capítulo:

Conclusión #7: Nuestro Creador y Redentor
es también nuestro Fiel Proveedor.

Su abundante provisión

Hay muchos acontecimientos en el viaje del éxodo de Israel que prefiguran a Cristo, es decir, que señalan al futuro Mesías que vendría al mundo. El maná es un símbolo de Jesús, quien dijo: "Yo soy el pan vivo que descendió del cielo" (S. Juan 6:51; ver los vers. 28 al 58). Lo mismo ocurre con el agua. "Jesús se puso en pie y alzó la voz, diciendo: Si alguno tiene sed, venga a mí y beba" (S. Juan 7:37). Y lo mismo sucede con el descanso del sábado: "Venid a mí... y *hallaréis descanso para vuestras almas*" (S. Mateo 11:28, 29; énfasis añadido).

Por eso creo que Dios ordenó a Moisés que arrojara un árbol a las aguas amargas para endulzarlas y se reveló como "Jehová, tu sanador"

(Éxodo 15:26). Creo que el árbol era un símbolo de la cruz, ya que, "por su llaga fuimos nosotros *curados*" (Isaías 53:5; énfasis añadido). La cruz marcó la diferencia para la humanidad, convirtiendo la realidad más oscura en la seguridad más gloriosa. En la cruz Jesús satisfizo nuestra desesperación con una provisión abundante. Cuando nuestras necesidades se encuentran con su suficiencia, nuestra ansiedad se convierte en adoración. Confiemos en que Aquel que proveyó para nuestra salvación también proveerá para todo lo demás que podamos necesitar. Descansemos en él. El apóstol Pablo nos recuerda esta seguridad: "El que no escatimó ni a su propio Hijo, sino que lo entregó por todos nosotros, ¿cómo no nos dará también con él todas las cosas?" (Romanos 8:32). Ciertamente, Dios proveerá. Que nuestra oración sea: "Danos hoy nuestro pan de cada día: ¡Jesús!".

Dios nos creó, nos redimió y nos sostendrá.

Al final del libro, en la página 94, hay unas preguntas para reflexionar sobre el contenido de este capítulo.

---

* Para más información sobre el sábado, mira el video "Descanso" en el sitio web www.Jesus101.tv/es en https://jesus101.tv/mirar/?media=10176.

CAPÍTULO 8

ℒos recursos de Dios

U na vez mi padre y yo acompañamos a mi madre a ver a su oncólogo. El médico puso unas imágenes en la pantalla y nos explicó que había nuevas manchas en sus pulmones. Yo quería respuestas más concretas, y entonces hice la temida pregunta: "¿Cuánto tiempo le queda?" El médico respondió con sinceridad, pero con misericordia: "Me sorprendería que estuviera con nosotros dentro de seis meses". Oh, la intensidad de ese momento. ¿Y ahora qué? ¿Qué otros recursos tenía Dios para ayudar a mi familia tras recibir esta mala noticia?

Mis padres no eran ajenos al cáncer. Ambos habían padecido diferentes tipos de cáncer durante la última parte de sus vidas y habían pasado por una serie de tratamientos y cirugías. Durante siete años Dios había provisto a mi madre con médicos sabios y tratamientos exitosos, así como con paciencia y una actitud positiva. Ahora estaba bastante claro que se acercaba el fin de su jornada, a menos que Dios decidiera hacer un milagro. Dios había sido su sanador, su guía y su fuerza. A medida que pasaban los meses después de las malas noticias, Dios dotó a mi madre de una paz increíble y de un inexplicable sentido del humor que mantuvo hasta el final. Unas dos semanas antes de que falleciera, tuve el privilegio de ungirla, entregándola a la voluntad de Dios y a su cuidado. Era evidente que Dios le había dado su fuerza, su paz y su certeza de salvación. Era como si estuviera siendo sostenida por las manos invisibles de Dios, y descansaba plenamente en sus brazos de misericordia. Dos años más tarde también perdí a mi padre a causa del cáncer, y fui testigo de la misma paz bendita en sus ojos.

¡Dios tiene recursos ilimitados para ayudarnos! La intervención divina nos llega de formas inesperadas y variadas. A veces nos proporciona la curación física; otras veces nos da fuerza y paz celestiales para atravesar una enfermedad o una situación difícil, e incluso para afrontar la muerte. Independientemente de la forma en que decida intervenir, él es siempre nuestro pronto auxilio en las tribulaciones (ver el Salmo 46:1). Si queremos vivir sin ansiedad, debemos tener en cuenta que cuando no sabemos qué hacer, Dios sí sabe.

¿Qué debo hacer?

Los hijos de Israel viajaron a Refidim, donde acamparon. Esta era su última parada antes del Sinaí (ver Éxodo 19:1, 2; Números 33:15). Cuando llegaron, descubrieron que allí no había agua (Éxodo 17:1). Se podría pensar que recordarían rápidamente cómo Jehová les había proporcionado agua y comida en el pasado, y esperarían en Dios. Pero no fue así. Las provisiones divinas anteriores, que los deberían haber convencido de confiar en la fidelidad y la capacidad de Dios para suministrar todo lo que necesitaban, fueron ahora olvidadas. En lugar de ello, volvieron a reñir y a murmurar.

A veces actuamos exactamente igual; tenemos una memoria muy corta con respecto a las bendiciones de Dios, y a menudo dudamos de su capacidad para superar nuestros desafíos actuales. Por eso es muy importante dedicar tiempo a *recordar* cómo la mano de Dios nos libró de situaciones difíciles en el pasado. Incluso, puedes crear tu línea de tiempo de la vida y registrar eventos específicos en tu viaje. Puede ser útil cuando te enfrentes a un nuevo desafío. Las provisiones de Dios en el pasado se convierten en nuestra seguridad para el futuro.

El pueblo de Israel no se limitó a murmurar y discutir contra Moisés; ¡en realidad, lo acusaron de tener motivos terribles! "¿Por qué nos hiciste subir de Egipto para *matarnos* de sed a nosotros, a nuestros hijos y a nuestros ganados? (Éxodo 17:3; énfasis añadido). *¡Moisés! ¡Quieres matarnos de sed!* Su necesidad los desesperó y, como puede ocurrirnos a nosotros, sus emociones se intensificaron: de la insatisfacción a la disputa, a la queja, ¡y luego a la violencia! Moisés se dio cuenta de que eso estaba por encima de sus habilidades, y en su impotencia clamó a Jehová: "*¿Qué haré?*" (vers. 4; énfasis añadido). Moisés adquirió el hábito de acudir al Señor inmediatamente. No es de extrañar que se convirtiera en el hombre más manso de la tierra (ver Números 12:3). "¿Qué haré con *este* pueblo? De aquí a un poco me apedrearán" (Éxodo 17:4; énfasis añadido). Es interesante observar la frase "*este* pueblo" en lugar de "mi pueblo" o "tu pueblo". No se estaban comportando como el pueblo de Dios ni como los amigos de Moisés. ¡No! ¡Estaban a punto de apedrearlo! ¿Te imaginas? La desesperación y la ansiedad tienen la capacidad de adormecer nuestros sentidos y cegar nuestros ojos.

Jehová le dijo a Moisés que se llevara a algunos ancianos y que tomara su vara "con que golpeaste el río" (vers. 5). Me encanta este recordatorio. Dios no solo le dijo que tomara una vara, sino que tomara la vara con la que había realizado actos poderosos para liberar a Israel de Egipto. Si Dios fue capaz de convertir el agua del Nilo en sangre, ¡por supuesto que sería capaz de encontrar una solución para esta necesidad particular! Él se encargaría personalmente de que esto se llevara a cabo: "*He aquí que yo estaré* delante de ti allí sobre la peña en Horeb; y golpearás la peña, y saldrán de ella aguas, y beberá el pueblo" (Éxodo 17:6; énfasis añadido). ¡Dios mismo estaría sobre la roca de Horeb para realizar este milagro!

Este acontecimiento debió inundar a Moisés con recuerdos de cuando Dios lo había llamado desde la zarza ardiente en la misma zona (ver Éxodo 3:1). Ahora sería testigo de otro de los milagros de Jehová. Moisés hizo lo que se le había ordenado y golpeó la roca. ¡Típico de Dios: sacar agua del lugar más improbable... una roca en el desierto! Este es otro recordatorio de que Dios posee recursos ilimitados. Puede crear algo de la nada, porque llama a la existencia lo que no existe (ver Romanos 4:17).

Moisés llamó al lugar "Masah" (que significa *tentar*) y "Meriba" (que significa disputa o descontento) por la forma en que Israel se comportó y porque tentaron a Jehová al hacer una pregunta impensable: "¿Está, pues, Jehová entre nosotros, o no?" (Éxodo 17:7). ¿Qué? ¿De verdad preguntan? ¿Todavía se preguntan si Jehová está con ellos después de todo lo que ha hecho? ¿Cuán testarudos e incrédulos pueden llegar a ser? Pero antes de juzgar a Israel con demasiada dureza, pensemos en nosotros mismos. Desesperados, ¿no nos preguntamos a veces lo mismo, olvidando la forma en que nos ha ayudado y guiado en el pasado?

Un pronto auxilio

Pronto los israelitas tendrían otra oportunidad de experimentar la presencia de Jehová. La vez anterior que un ejército enemigo los

Confianza para el viaje de la vida

persiguió, Dios los había ahogado en el Mar Rojo. Pero ahora se encontraron con un nuevo adversario: los amalecitas, que los atacaron en Refidim (ver Éxodo 17:8). Los amalecitas, probablemente descendientes de Esaú (ver Génesis 36:12, 16), se convertirían en enemigos de Israel durante mucho tiempo. Muchos estudiosos creen que esta enemistad es evidente hasta Amán, el agagueo (Agag era el rey de los amalecitas; ver 1 Samuel 15), que intentó exterminar a los judíos en la época de la reina Ester (ver Ester 3).

La batalla de Refidim fue la primera batalla entre Amalec e Israel, y no fue justa. Encontramos más detalles sobre la vergonzosa agresión de Amalec en Deuteronomio 25:17 y 18: "Acuérdate de lo que hizo Amalec contigo en el camino, cuando salías de Egipto; de cómo te salió al encuentro en el camino, y *te desbarató la retaguardia de todos los débiles que iban detrás de ti, cuando tú estabas cansado y trabajado; y no tuvo ningún temor de Dios*" (énfasis añadido). Este no fue un ataque limpio. Amalec atacó a los rezagados en la retaguardia cuando se sentían débiles y cansados. Estoy segura de que algunos de los ataques contra ti tampoco han sido limpios. Si te encuentras como objeto de una de esas intrusiones poco éticas e injustificables, recuerda que Dios lucha por sus hijos y utiliza recursos ilimitados en su favor.

Moisés designó a Josué para que eligiera hombres que fueran a luchar contra los amalecitas (Éxodo 17:9). Esta es la primera aparición de Josué en el relato bíblico. Cuatro décadas más tarde sería el líder que sucedería a Moisés y conduciría al pueblo a la tierra prometida. Originalmente su nombre era "Oseas", que significa *salvación*. Pero Moisés le cambió el nombre a "Josué", que significa "Jehová salva" (ver Números 13:16). ¿No es interesante? ¡Qué diferencia hay! Esto tiene mucha importancia, porque el nombre hebreo *Josué* es el nombre *Jesús* en griego. ¿Recuerdas cómo el ángel anunció que el nombre de nuestro Salvador sería Jesús, "porque *él salvará* a su pueblo de sus pecados"? (S. Mateo 1:21; énfasis añadido). El mismo nombre. ¡Maravilloso! Creo que el cambio de nombre apuntaba a que Jesús era el que nos llevaría a la Tierra Prometida celestial.

Mientras Josué dirigía la lucha contra Amalec con los hombres elegidos de Israel, Moisés estaba en la cumbre de la colina *con la vara de Dios*

Los recursos de Dios

en su mano (Éxodo 17:9). La vara de "Elohim" era un símbolo de la presencia, la autoridad y el poder de Dios que se había manifestado en las plagas de Egipto, y más recientemente en el golpe de la roca que dio agua al pueblo (vers. 5 al 7). Pero Dios había preparado una visualización más de su poder y fuerza en esta batalla. "Y sucedía que cuando alzaba Moisés su mano, Israel prevalecía; mas cuando él bajaba su mano, prevalecía Amalec" (versículo 11). ¡Esta fue una poderosa visualización de dónde vendría la victoria! Las manos de Moisés tenían que apuntar al cielo para que Israel ganara. Pero Moisés se cansó, así que se sentó sobre una piedra, y Aarón y Hur le sostuvieron las manos para que estuvieran siempre apuntando hacia arriba (vers. 12).

Al parecer, Hur ayudó a Moisés y a Aarón en otras ocasiones (ver Éxodo 24:14), pero ¡qué tarea tan sencilla e indispensable realizó aquel día, sosteniendo la mano de su líder hasta la puesta del sol para que pudiera señalar la fuente de su triunfo! ¡Todos podemos hacer lo mismo! Cuando tenemos líderes que señalan a Jesús como la fuente de nuestra salvación, ¡es nuestro privilegio apoyarlos! De hecho, todos deberíamos convertirnos en una flecha que señale a Jesús como el único camino para la salvación.

Dios usa sus recursos ilimitados en nuestro favor.

Y así fue como Josué y sus hombres ganaron la batalla. Como ves, la batalla pertenece al Señor. Siempre. Sin embargo, a veces él elige que nos quedemos a un lado mientras él lucha, y otras veces elige darnos su fuerza y nos capacita en la crisis. ¡Siempre se trata de él! El Señor es nuestra fuerza, nuestra paz, nuestra roca, y todo lo que podamos necesitar.

Jehová es mi bandera

En 1978, la selección argentina de fútbol ganó la Copa del Mundo *en* Argentina. Soy incapaz de describir adecuadamente la forma en que todo el país respondió a esta victoria, pero quiero contarles lo que yo experimenté. Yo estaba en el colegio secundario, viviendo en la residencia escolar. Tras el último partido, muchos estudiantes, entre los que me encontraba, corrimos hacia la bandera en medio del plantel en una celebración improvisada. Cantamos el himno nacional e izamos la bandera.

Confianza para el viaje de la vida

Obviamente, ninguno de nosotros había jugado en la selección nacional de fútbol, pero esta era nuestra bandera, este era nuestro equipo y esta era nuestra victoria. Nos reunimos en torno a nuestra bandera con gran orgullo y alegría.

En la antigüedad, cuando los ejércitos iban a la guerra llevaban consigo un estandarte, algo parecido a una bandera. Era su señal de identidad, su punto de encuentro y reunión. Por eso lo que viene a continuación es tan impresionante.

Después de que los israelitas lograron la victoria con la fuerza de lo alto, Jehová le dijo a Moisés: "Escribe esto para memoria en un libro" (Éxodo 17:14). Esta es la primera mención de "escribir" en la Biblia. Más adelante, en Números 33:2, se nos dice que Moisés registró el viaje de Israel desde Egipto por orden del Señor. Moisés llevaba una especie de diario, ¡y la historia de la victoria sobre Amalec tenía que quedar registrada en ese libro! Y Moisés hizo algo más que escribir. Construyó un altar allí "y llamó su nombre Jehová-nisi [Jehová es mi estandarte]" (Éxodo 17:15). ¡Qué significativo! ¡*Yahweh Nissi*! El Señor es mi estandarte, mi bandera, mi enseña, mi fuente de identidad, mi punto de encuentro. Jehová había demostrado ser su protección y su fuerza victoriosa para la batalla. Jehová era más poderoso que los dioses de los egipcios y que los dioses de los amalecitas. Descubrieron que Dios tenía recursos ilimitados para proveer a sus hijos: pan del cielo, agua de la roca, fuerza para la batalla, liberación para los agotados. Y esta es una lección que todos debemos aprender:

Conclusión # 8: Dios usa recursos ilimitados a favor de su pueblo.

Para *todas* nuestras necesidades

¡Estoy tan emocionada de contarles esto! ¿Recuerdas el nombre que Moisés le dio al altar? *Jehová-nisi*, "Jehová es mi estandarte" (Éxodo 17:15). Pues bien, esa misma palabra para estandarte o bandera se utiliza también en un acontecimiento posterior en la historia de Israel. Más tarde Israel volvió a murmurar contra Dios ,y fue mordido por serpientes venenosas. El antídoto que se le dio a Moisés fue hacer una serpiente de bronce y colocarla en un *asta*, o *estandarte* (ver Números 21:8).

Los recursos de Dios

¡Adivinaste! En el idioma original es la misma palabra: ¡*estandarte*! Y quien fuera mordido tenía que mirar a este símbolo de Cristo, ¡y viviría! Esta es la misma historia a la que se refirió Jesús al explicar el evangelio a Nicodemo. "Y como Moisés levantó la serpiente en el desierto, así es necesario que el Hijo del Hombre sea levantado, para que todo aquel que en él cree, no se pierda, mas tenga vida eterna. Porque de tal manera amó Dios al mundo, que ha dado a su Hijo unigénito, para que todo aquel que en él cree, no se pierda, mas tenga vida eterna." (S. Juan 3:14-16).

¿No es emocionante? ¡Este es el evangelio en su forma más pura! ¿Y por qué Jesús sería representado por una serpiente de bronce en la historia cuando la serpiente suele representar el mal y el pecado? Me alegro de que lo preguntes. "Al que no cometió pecado alguno, por nosotros Dios lo trató como pecador, para que en él recibiéramos la justicia de Dios" (2 Corintios 5:21, NVI). La Cruz es nuestra bandera, nuestra protección, nuestro punto de encuentro. El antídoto que Dios ha proporcionado para el veneno del pecado es creer en el sacrificio de Jesús.

Jehová fue el centro de la historia de Israel y es el centro de la nuestra. Él proporciona recursos ilimitados para satisfacer todas nuestras necesidades, incluyendo nuestra salvación. Esto se hace evidente a lo largo de la historia de Israel, a medida que el Señor se revela más y más. Él es llamado: el Señor es mi estandarte, el Señor tu sanador, el Señor es mi pastor, el Señor es mi roca, el Señor es la paz, el Señor proveerá, el Señor nuestra justicia, y muchos nombres más.

Jehová es el centro de nuestra historia.

Rellena el espacio en blanco con lo que necesites hoy: ¡El Señor es mi _____! Con seguridad, él suplirá tu necesidad, ya sea que necesites agua en el desierto, fuerza para la batalla o el camino de la salvación. Permite que el Dios de los recursos ilimitados convierta tu ansiedad en confianza mientras viajas hacia la Tierra Prometida. Y recuerda: "Dios es nuestro amparo y fortaleza, nuestro pronto auxilio en las tribulaciones. Por tanto, no temeremos" (Salmo 46:1, 2).

Al final del libro, en la página 94, hay unas preguntas para reflexionar sobre el contenido de este capítulo.

Capítulo 9

El pacto de Dios

Cuando era niña, la mayor parte de nuestras vacaciones incluían acampar. Tengo recuerdos maravillosos de muchos días de verano acampando junto a la playa en Uruguay. Lo que hacía que esos momentos fueran tan especiales era que varios de mis familiares y parientes venían a armar sus carpas junto con nosotros. Cada año, durante varias semanas acampábamos todos juntos, y yo disfrutaba mucho de la compañía de mis abuelos, tíos y primos. La mayoría teníamos carpas pequeñas y sencillas, pero mi tío aparecía con una enorme lona de su camión que se utilizaba para transportar grano y otras mercancías. Instalaba esta gigantesca lona como de circo, extendiéndola sobre una gran superficie y utilizando enormes postes de hierro macizo para asegurarla. Así creaba un *espacio comunitario* protegido donde todos podíamos pasar el rato, comer, jugar o hacer lo que quisiéramos como grupo, independientemente del clima. Cuando había tormentas y vientos, todos buscábamos protección bajo la gran tienda de mi tío.

Cuando se trata de resistir las tormentas de la vida, ¿dónde prefieres estar? ¿Bajo los débiles postes de tu propia carpa? ¿O bajo la protección de la gran carpa de Dios? En la Biblia, la "gran carpa" de Dios se llama *pacto*: un pacto que él ha hecho con su pueblo para protegerlo y proporcionarle todo lo que necesite. Él hizo el pacto para salvar a la raza humana, y lo logró pagando nuestro rescate en la cruz. Ahora invita a cada persona a convertirse en receptora de este pacto, a apropiarse de sus beneficios individualmente. En este capítulo estudiaremos una sección del éxodo, en la que Dios invita a Israel a convertirse en su propio pueblo, como nación que prepararía el camino para la llegada del Mesías. Cuando examinemos el texto bíblico, descubriremos la diferencia entre vivir bajo nuestra propia tienda, lo que produce ansiedad, y vivir bajo la gran tienda de Dios, que nos llena de confianza, descanso, seguridad y propósito, así como de un sentido de identidad y pertenencia.

El pacto de Dios

El tesoro de Dios

En los tiempos bíblicos, dos lados desiguales podían llegar a un acuerdo entre ellos llamado *pacto entre soberanos y vasallos*. En estos pactos, el señor soberano, o protector, se comprometía a proporcionar al vasallo todo lo que necesitara, desde la tierra, la vivienda y las provisiones diarias, hasta su fiel protección. El vasallo, a su vez, se ponía bajo la autoridad del señor y le prometía plena lealtad, lo que incluía hablar bien del amo y brindarle honores. Este pacto tenía diferentes partes, como un preámbulo, una reseña histórica de lo que el señor había hecho por el vasallo, ciertas condiciones que regían el pacto, algunos detalles sobre la relación, los nombres de los testigos y la ratificación del pacto. Este es el tipo de pacto que se observa en Éxodo 19 al 24 entre Dios e Israel.

En esta sección, el mensaje de Dios a Israel comienza con una demostración de su amor por ellos en el pasado: "Vosotros visteis lo que hice a los egipcios, y cómo os tomé sobre alas de águilas, y os he traído a mí" (Éxodo 19:4; énfasis añadido). ¡Qué hermosa visualización! Jehová había luchado por ellos contra los

> *Si aceptan mi pacto, serán mi tesoro único e inestimable.*

egipcios y había traído a Israel hacia sí "sobre alas de águila" (ver también Deuteronomio 32:11). ¡Dios ya había demostrado su tierno y amoroso cuidado por ellos! Ahora los invitaba a ser su propio pueblo, a habitar bajo su gran tienda: "Ahora, pues, si diereis oído a mi voz, y guardareis mi pacto, vosotros seréis *mi especial tesoro* sobre todos los pueblos; porque mía es toda la tierra" (Éxodo 19:5; énfasis añadido).

Me encanta que Dios comience declarando el valor de Israel a sus ojos. La frase "mi especial tesoro" ha sido traducida de varias maneras en las diferentes versiones y paráfrasis de la Biblia: "Mi principal tesoro" (NBV); "mi pueblo predilecto" (BLP), "mi propiedad exclusiva" (NVI); y "mi pueblo preferido" (DHH).* El sustantivo hebreo utilizado aquí es una palabra que denota un tesoro único e invaluable.

Imagina el diamante más grande del mundo, diferente a cualquier otro. ¿Quién podría ponerle precio? Esta es la imagen que hay detrás de esta frase, ya que Dios les está diciendo: *Si aceptan mi pacto, serán mi propio tesoro único e inestimable* entre todos los pueblos de la tierra.

Confianza para el viaje de la vida

¡Asombroso! ¿Te imaginas que te llamen así? ¿Puedes imaginarte el aumento de la autoestima de Israel a la luz de la visión que Dios tiene de ellos? Estaban acostumbrados a ser esclavos sin valor a los ojos de los egipcios. Ahora son un tesoro a los ojos del Dios del universo. ¡Maravilloso!

Y Dios continúa: no solo encontrarán su identidad en él (su precioso tesoro), sino que también servirán como sus sacerdotes para mostrar a Dios al resto del mundo: "Vosotros me seréis un reino de sacerdotes, y gente santa" (Éxodo 19:6). Por cierto, el Nuevo Testamento aplica este versículo a todos los que hemos aceptado el sacrificio de Cristo en nuestro favor. Tú eres su tesoro inestimable, "*linaje escogido, real sacerdocio, nación santa, pueblo adquirido por Dios,* para que anunciéis las virtudes de aquel que os llamó de las tinieblas a su luz admirable" (1 Pedro 2:9; énfasis añadido). Esta es nuestra identidad: un tesoro único de Dios. En la cruz se estableció nuestro valor de una vez por todas. Tú vales la vida del Hijo de Dios, que se negó a pasar la eternidad sin ti y murió para que tuvieras vida eterna. Esto es lo que vales, y no dejes que nadie te convenza de lo contrario.

Dios nos dice: "Porque eres mi hijo, te haré estas cosas".

Los principios de su reino

Es en este contexto de pacto entre soberanos y vasallos que encontramos el Decálogo, los Diez Mandamientos, en Éxodo 20, como parte del libro del pacto (Éxodo 19 al 24). Una vez más, comienza con la identidad de Dios, o su nombre, y un recordatorio de lo que ya ha hecho: "Yo soy Jehová tu Dios, que te saqué de la tierra de Egipto, de casa de servidumbre" (Éxodo 20:2; énfasis añadido). En otras palabras, Dios dice: Este es quien *YO SOY*, y esto es *lo que he hecho* por ti. Luego establece los principios de su reino. Mi amigo, el pastor Mike Tucker, quien me acompañó en la presentación de muchos programas de radio y televisión a lo largo de los años, siempre enfatizaba el hecho de que, al ser un pacto de vasallaje, los Diez Mandamientos son principios que Dios mismo grabaría en nuestros corazones. En otras palabras: "*Porque eres mi hijo, haré estas cosas en ti.*" Y nosotros respondemos con amor, prometiendo lealtad y fidelidad a Aquel que lo da y lo hace todo por nosotros.

El pacto de Dios

Dios crea en nosotros el deseo y la necesidad de conocer a nuestro Creador-Redentor y de tener una relación significativa con él y con quienes nos rodean. Hay dos grupos de principios en el Decálogo. *Los primeros cuatro mandamientos apuntan a la relación entre Dios y nosotros*: (1) No tendrás dioses ajenos delante de mí: *yo soy tu único Dios*. (2) No te harás un ídolo: *adórame solo a mí*. (3) No tomarás el nombre de Jehová tu Dios en vano: *valora y atesora mi poderoso nombre del pacto*. (4) Acuérdate del día de reposo para santificarlo: *aparta el séptimo día para recordarme y descansar en mí*.

Los últimos seis se centran en nuestra relación con los demás, como compañeros bajo la gran tienda de Dios: (5) Honra a tu padre y a tu madre: *valora a tus progenitores*. (6) No matarás: *valora la vida*. (7) No cometerás adulterio: *valora la fidelidad del matrimonio*. (8) No robarás: *valora y respeta lo que es de los demás*. (9) No darás falso testimonio contra tu prójimo: *valora la honestidad y la integridad respecto a la reputación de los demás*. (10) No codiciarás: *valora y conténtate con las bendiciones que Dios te da*.

Estos dos grupos de mandamientos fueron resumidos por Jesús en dos principios: *amar a Dios* y *amar al prójimo*. "Jesús le dijo: Amarás al Señor tu Dios con todo tu corazón, y con toda tu alma, y con toda tu mente. Éste es el primero y grande mandamiento. Y el segundo es semejante: Amarás a tu prójimo como a ti mismo. De estos dos mandamientos depende toda la ley y los profetas" (S. Mateo 22:37-40).

Los Diez Mandamientos de Dios no son un conjunto de reglas que hay que cumplir para ganar el camino al cielo, ya que en esta tierra nunca podríamos guardar sus principios de forma tan perfecta e inmaculada como para merecer la salvación. Los mandamientos de Dios son un regalo de un amoroso Creador-Redentor que sabía exactamente lo que necesitaríamos para vivir una vida feliz y saludable. Son un mapa que nos guía a través del campo minado de la vida para evitar que nos hagan daño o que hagamos daño a los demás, y para centrar constantemente nuestra seguridad en quién es Dios y en lo que ha hecho. Nos dan un vistazo del carácter de Dios y nos señalan nuestra necesidad de un Salvador, ya que somos salvados solo por la gracia de Dios y no por los méritos ni las obras de la ley (ver Gálatas 2:16). El costoso sacrificio de Jesús en la cruz pagó por nuestros pecados y transgresiones, y su asombrosa gracia

Confianza para el viaje de la vida

crea en nosotros una motivación intrínseca para seguir su voluntad, sus mandatos y su propósito para nuestra vida (Efesios 2:8-10). Pero, debido a nuestra naturaleza pecaminosa, vacilamos y siempre nos quedamos cortos. Esto queda claro cuando Jesús interpreta los mandamientos para incluir el espíritu de la ley, y no solo la letra de la ley. Por lo tanto, asesinato no es solo quitarle la vida a alguien, sino también enojarse con una persona (S. Mateo 5:21, 22); y el adulterio no es solo la infidelidad en la carne, sino la lujuria en el corazón (S. Mateo 5:27, 28). ¡Es evidente que no calificamos para la salvación! Por eso, el propósito esencial de los mandamientos es acercarnos a nuestro amoroso Salvador (ver Gálatas 3:24), cuya vida perfecta figura en nuestro historial, y cuya muerte perfecta ha pagado por nuestras transgresiones. Su sacrificio garantiza nuestro lugar bajo la tienda del pacto de Dios, pues "ninguna condenación hay para los que están en Cristo Jesús" (Romanos 8:1).

> *El propósito esencial de los mandamientos es acercarnos a nuestro amoroso Salvador.*

Su garantía

Una de las cosas que más echo de menos de mis padres, después de que ambos fallecieran, es su amor incondicional por mí. Siempre podía contar con ellos, incluso de adulta. Recuerdo haber asistido a un retiro de ministros en un hotel en el que me enfermé gravemente por una especie de intoxicación alimentaria muy agresiva. El evento estaba terminando y todo el mundo se marchaba, pero, tras haber perdido varios kilos de peso en pocas horas, yo no estaba en condiciones de viajar, así que tuve que quedarme. Cuando mis padres se enteraron, en cuestión de minutos habían iniciado su viaje de varias horas para ayudarme. Se quedaron conmigo un par de días, hasta que estuve lo suficientemente fuerte para hacer el viaje de vuelta a casa. Esta es una de las muchas veces en las que mostraron su disposición a hacer lo que fuera necesario para ayudarme. A lo largo de mi vida siempre tuve la garantía incondicional de su apoyo.

Es una realidad insólita y profunda tener a alguien en tu vida cuya presencia está siempre garantizada y que nunca te abandonará. Por eso me conmueve tanto el acontecimiento narrado en Éxodo 24:1 al 11.

El pacto de Dios

Una vez presentados los Diez Mandamientos, Dios les dio a los israelitas instrucciones detalladas para la aplicación de esos principios a la vida cotidiana de la comunidad. Entonces Moisés relató todas las palabras y ordenanzas de Jehová al pueblo, el que, a su vez, aceptó el pacto, sin darse cuenta de lo engañoso de sus corazones: "Haremos todas las palabras que Jehová ha dicho" (vers. 3). Moisés construyó un altar con doce columnas para representar a las doce tribus de Israel, y ofrecieron sacrificios al Señor (vers. 4, 5). Luego, y esta es la parte que me llama la atención, "Y Moisés tomó la mitad de la sangre, y la puso en tazones, *y esparció la otra mitad de la sangre sobre el altar*" (versículo 6; énfasis añadido). La sangre que fue colocada sobre el altar representaba la parte de Jehová, su garantía de que entraba en una relación de pacto con Israel, una especie de "participación voluntaria". Por cierto, la parte de Jehová *siempre* está garantizada. Entonces Moisés tomó la otra mitad de la sangre y la roció sobre el pueblo que había aceptado estar en pacto con Jehová, diciendo: "He aquí *la sangre del pacto* que Jehová ha hecho con vosotros sobre todas estas cosas" (versículo 8; énfasis añadido).

Es lamentable, pero Israel le falló a Dios: poco tiempo después hicieron un becerro de oro y lo adoraron. Sin embargo, Dios nunca nos falla. Su parte del pacto, representada por la sangre en el altar, es siempre algo seguro. Como ves, el pacto de Dios para salvarnos proviene de él al ciento por ciento. Él ha redimido a la humanidad sin nuestra ayuda. Y nosotros estamos invitados a recibir su pacto, aceptar lo que ha hecho en nuestro favor y convertirnos en sus hijos. Después de rociar la sangre, "subieron Moisés y Aarón, Nadab y Abiú, y setenta de los ancianos de Israel... y vieron a Dios, y comieron y bebieron" (Éxodo 24:9-11). ¿Te imaginas tener esta comida de pacto con Dios como una afirmación de que aceptaban el pacto con el Dios del universo, su Redentor y Proveedor de todo? ¡Asombroso!

La frase "sangre del pacto", utilizada por Moisés en el versículo 8 es extremadamente importante. Es la misma frase que usó Jesús cuando explicó su propio sacrificio. En su última comida juntos antes de la cruz, Jesús tomó la copa y dijo a sus discípulos: "Esto es *mi sangre del pacto*, que es derramada por muchos" (S. Marcos 14:24, NVI; énfasis añadido). En la cruz, Dios "decidió voluntariamente" ser fiel a su pacto. Ahora, ¿te gustaría recibir y apropiarte de este maravilloso pacto? Cuando aceptas la sangre de Jesús derramada en tu lugar, ya no estás abandonado a tus propias fuerzas, temblando bajo tu propia y débil tienda... ¡No! Vives bajo la gran tienda del pacto de Dios. Puedes confiar en él y en su amor sacrificado. Él es el Señor soberano que provee todo lo que necesitas, incluyendo tu salvación. ¡Y tú puedes aceptar su invitación! Esto nos lleva a la conclusión de este capítulo:

> Conclusión #9: En la cruz Dios ha hecho provisión completa para tu redención, y ahora te invita a ser su hijo.

Su seguridad

La ansiedad se apodera de nosotros cuando nos damos cuenta de que nuestra carpa no es lo suficientemente fuerte para las tormentas de la vida. Pero podemos reemplazar nuestra ansiedad con la confianza en Alguien más grande que nosotros. Podemos mudarnos a la gran carpa de Dios, donde encontramos seguridad bajo su tienda que nos brinda protección y redención. Él nos ha dado la seguridad de su pacto mediante el derramamiento de su sangre. Tu valor ha sido establecido en la cruz, y tu deuda ha sido pagada. Tú eres su único e inestimable tesoro. Ahora te invita a aceptar su pacto. El único antídoto para la ansiedad consiste en recibirlo como tu Creador, Redentor, Proveedor, Sustentador y Rey. ¿Te gustaría "decidirte"?

Él es el Señor soberano que provee todo lo que necesitas.

Si es así, pon tu nombre en el espacio en blanco. Jesús dice: "Esto es mi sangre del pacto, que es derramada por _____" (S. Marcos 14:24, paráfrasis de la autora).

Al final del libro, en la página 95, hay unas preguntas para reflexionar sobre el contenido de este capítulo.

* La cita marcada con NBV fue tomada de la Nueva Biblia Viva © 2006, 2008 por Biblica, Inc. * Reservados todos los derechos en todo el mundo. La marcada con BLP fue tomada de La Palabra, versión española © 2010 Texto y Edición, Sociedad Bíblica de España. La marcada con DHH fue tomada de la BIBLIA DIOS HABLA HOY * tercera edición © Sociedades Bíblicas Unidas, 1966, 1970, 1979, 1983, 1996. Utilizada con permiso.

CAPÍTULO 10

La morada de Dios

Se hacía tarde, y mamá y yo estábamos deseando llegar a nuestro hogar. Dependíamos del transporte público en ese momento, y al fin estábamos en el autobús que se dirigía a casa. Sin embargo, el recorrido estaba tardando demasiado, y fue entonces cuando mi madre se dio cuenta de que nos habíamos equivocado de autobús. Nos bajamos en la siguiente parada. ¿Y ahora qué? Ya era de noche y nos encontrábamos en una zona industrial que no conocíamos. No había viviendas donde pudiéramos pedir ayuda e indicaciones.

Recuerdo ese día con claridad, ya que tuvo un gran impacto en mi joven mente. Mi madre me dijo que recitáramos un versículo de la Biblia en voz alta mientras caminábamos por las interminables veredas oscuras y las calles vacías. Recuerdo claramente el versículo que repetíamos una y otra vez: "El ángel de Jehová acampa alrededor de los que le temen, y los defiende" (Salmo 34:7). Sin embargo, para mi joven corazón la única seguridad incontestable era mi madre, que estaba conmigo. Tomada de su mano, me sentía segura. Su presencia conmigo era lo que necesitaba para sentirme tranquila, porque sabía que ella encontraría el camino a casa. Y lo hizo. Ahora, ya adulta, me doy cuenta de lo difícil que debió ser ese evento para mi mamá. La presencia de un padre es tranquilizadora para un niño. Mientras tu padre o tu madre estén contigo, te sientes seguro.

Pero, ¿qué nos hace sentir *seguros* a nosotros, como adultos, en nuestro viaje terrenal hacia la Tierra Prometida celestial? He descubierto que mientras transitamos por las calles oscuras y solitarias de la vida, la presencia amorosa y poderosa de Dios es el antídoto contra el miedo. ¿Crees en un Dios personal, misericordioso y amoroso que está contigo? Sin duda, ¡está con nosotros! Él es nuestra seguridad siempre presente. *Nunca* estamos solos. *Tú* nunca estás solo.

Mientras el pueblo de Israel viajaba por el desierto hacia la tierra prometida, Dios se aseguró de que pudieran ver que él estaba con ellos. Incluso eligió hacer su morada entre ellos. ¡Qué emocionante! Vamos a sumergirnos en esta sección del éxodo que nos invita a sustituir nuestra ansiedad por la *confianza* en un Dios misericordioso y siempre presente que nos llevará a casa.

El Dios de las personas

Una vez tuve el privilegio de visitar Egipto y sus magníficos templos antiguos. En el segundo capítulo, mencioné que cada templo era construido en honor a una deidad particular. Si querías adorar a un dios específico, tenías que visitar el templo específico construido para ese dios, lo que nos lleva a una de las diferencias más notables entre los "dioses" de Egipto y el Dios de Israel. Mientras que los dioses de Egipto se identificaban con una estructura o edificio, el Dios de Israel siempre se identificaba como el Dios de las personas. Por ejemplo, "Yo soy el Dios de tu padre, Dios de Abraham, Dios de Isaac, y Dios de Jacob" (Éxodo 3:6). Por lo tanto, no es de extrañar que cuando Dios diseñó el lugar en el que iba a morar en medio de su pueblo, eligiera un santuario "móvil", una gran tienda que pudiera acompañar a su pueblo en su viaje dondequiera que fuera. ¿No es asombroso?

Este Santuario, llamado el "Tabernáculo" (la morada de Dios), fue construido con contribuciones voluntarias de oro, plata, bronce y otros materiales donados por el pueblo de Israel (ver Éxodo 25:1-9). Y se construyó según un modelo que Jehová mostró a Moisés: "Y harán un santuario para mí, *y habitaré en medio de ellos.* Conforme a todo lo que yo te muestre, el diseño del tabernáculo, y el diseño de todos sus utensilios, así lo haréis" (versículos 8, 9; énfasis añadido). Todo en él era un símbolo físico que señalaba el plan de redención ideado por Dios para salvar a la humanidad. El tabernáculo iba a ser el lugar donde se manifestaría la presencia de Dios entre ellos, así como el aula divina donde se promulgaría el plan de salvación mediante servicios simbólicos que señalaban el sacrificio del Salvador. Mi corazón se conmueve ante los esfuerzos de Dios para llegar a su pueblo de esta manera, revelándoles

> Dios vino a habitar con nosotros en la persona de Jesús.

La morada de Dios

mediante los servicios del tabernáculo que un día el Cordero de Dios sin pecado moriría por nuestros pecados. Y comparto un dato más: La palabra griega utilizada para "tabernáculo" en el Antiguo Testamento griego (ver Éxodo 25:9, LXX)* es la misma raíz utilizada por Juan cuando explica cómo Jesús se convirtió en un ser humano: "Y el Verbo se hizo hombre y *habitó* [tabernaculizó] entre nosotros. Y hemos contemplado su gloria... lleno de gracia y de verdad" (S. Juan 1:14, NVI; énfasis añadido). Dios vino a morar, literalmente *tabernaculizó* con nosotros en la persona de Jesús. ¡Y él fue la máxima manifestación de la presencia y la gloria de Dios! (ver S. Juan 1:14; comparar con Éxodo 40:34.) ¿No es esto súper emocionante? ¡Y hay más!

La presencia misericordiosa

Jozef De Veuster vivió en la hermosa isla de Molokai, en Hawai. Pero antes de que desees intercambiarte con él, déjame contarte un poco más sobre Jozef, más conocido como el Padre Damián. Vivía en la península de Kalaupapa, donde atendía a los que vivían en la colonia de leprosos. Hizo todo lo necesario para dar apoyo emocional, espiritual y físico a los enfermos. Los vestía, los alimentaba e incluso les hacía ataúdes. Lamentablemente, tras once años de ministerio en la colonia, contrajo la lepra y murió el 15 de abril de 1889. Aunque estaba consciente del riesgo que corría, optó por vivir entre ellos. Por su trabajo en esa colonia, se le ha llamado "mártir de la caridad". Nos asombra y nos inspira este tipo de amor sacrificado que nos permite vislumbrar el corazón misericordioso del Creador, que dio su vida para habitar con su pueblo eternamente.

Todo dentro del tabernáculo estaba diseñado para señalar la realidad de que una vida sin pecado y sin mancha sería dada como rescate por la humanidad. Había dos ambientes dentro del tabernáculo: el Lugar Santo y el Lugar Santísimo, separados por una cortina. No disponemos de espacio en este libro para estudiar cada pieza del tabernáculo en detalle (puedes leer sobre todos ellos en Éxodo 25 al 31). Nos concentraremos aquí solo en dos elementos: el arca del pacto, situada en el Lugar Santísimo, y el velo que separaba el Lugar Santo del Lugar Santísimo.

Empecemos por el arca. Era un cofre de madera de acacia recubierta de oro por dentro y por fuera (ver las instrucciones detalladas en Éxodo

Confianza para el viaje de la vida

25:10-22). Dentro del arca había tres elementos: 1) las tablas de la ley o del testimonio (ver los versículos 16 y 21); 2) una vasija de maná, conservada milagrosamente como testimonio para las generaciones futuras (ver Éxodo 16:33 y 34); y 3) la vara de Aarón que reverdeció (ver este acontecimiento en Números 17:8-11).

El arca simbolizaba el trono de Jehová. Encima del arca había un "propiciatorio" o *asiento de misericordia*, hecho de oro puro, con dos querubines, uno en cada extremo, cubriendo el propiciatorio. La presencia de Dios se manifestaba en ese lugar específico: "Yo me reuniré allí contigo en medio de los dos querubines que están sobre el arca del pacto. Desde la parte superior del propiciatorio te daré todas las instrucciones que habrás de comunicarles a los israelitas" (Éxodo 25:22, NVI). ¡Sí! La presencia *misericordiosa* de Dios se manifestaba encima del *propiciatorio*. ¡Y esto se vuelve aún más emocionante! ¡Déjame decirte cómo!

Una vez al año, en el Día de la Expiación, la sangre del sacrificio era rociada sobre el propiciatorio (ver Levítico 16:15-19). Año tras año, cuando el sumo sacerdote entraba en el Lugar Santísimo para realizar esta ceremonia anual, se le recordaba al pueblo que la única razón por la que un Dios santo podía habitar con personas pecadoras era porque la sangre, que simbolizaba el sacrificio de Jesús, expiaba sus pecados. ¡Imagínate esto! Dios, cuya presencia se manifestaba entre los dos querubines, miraba las tablas de la ley dentro del arca a través de la sangre rociada en el *asiento de misericordia*.

El Creador dio su vida para morar con su pueblo por la eternidad.

¡Qué imagen tan poderosa y sorprendente! Así es como Dios nos ve. Él nos ve como sus hijos perfectos, aunque somos pecadores, porque nos ve a través de la sangre de su Hijo perfecto. ¡Asombroso! No puedo encontrar palabras apropiadas para explicar su misericordia y su gracia.

Cuando el apóstol Pablo señaló que todos hemos pecado, pero que somos declarados justos por el sacrificio de Jesús, que es un regalo (ver Romanos 3:23, 24), eligió la misma palabra que se usaba en el Antiguo Testamento griego para el *propiciatorio* o *asiento de misericordia* (*hilastērion*; Éxodo 25:17, 20; Levítico 16:15, LXX). Él dijo: "Siendo justificados gratuitamente por su gracia, mediante la redención que es

La morada de Dios

en Cristo Jesús, a quien Dios puso como propiciación [*hilastērion*] por medio de la fe en su sangre, para manifestar su justicia, a causa de haber pasado por alto, en su paciencia, los pecados pasados, con la mira de manifestar en este tiempo su justicia, a fin de que él sea el justo, y el que justifica al que es de la fe de Jesús" (Romanos 3:24-26, énfasis añadido; ver también 1 Juan 2:2). ¡La sangre de Jesús es la aspersión de sangre en el propiciatorio! ¡Jesús es el lugar y el medio de nuestra justificación! ¡Dios mismo ofreció el pago por nuestros pecados! De ahí proviene nuestra certeza de salvación. ¡Esto es demasiado maravilloso para expresarse con palabras! ¡Oh, la dulce y misericordiosa presencia de Dios que trae la buena noticia de la salvación en sus alas! La salvación es el *don* de salvación por la sangre del Hijo de Dios. Y Dios dio esta poderosa imagen al pueblo de Israel para que pudieran vislumbrar cuánto estaba dispuesto a hacer a causa de su misericordia.

El pasaporte

Era un día especial para nosotros, ya que nos convertíamos en ciudadanos de los Estados Unidos. Nos dirigimos al gran auditorio e hicimos el juramento. Nos dieron banderitas, las que agitamos con entusiasmo para celebrar nuestro nuevo estatus. Nos recordaron los privilegios que ahora teníamos, entre ellos, el de tener un pasaporte. Ahora podíamos entrar en el país en cualquier momento con esta significativa forma de identificación, y podíamos viajar por el mundo con la seguridad de que, al mostrar nuestro pasaporte estadounidense, se nos concedería la entrada en otros países también. Desde entonces he viajado bastante por el mundo, y nunca me he cansado de oír las palabras, "Bienvenida a casa" al volver a los Estados Unidos. Para todos los que hemos nacido fuera de los Estados Unidos, ser ciudadano y tener un pasaporte son privilegios que apreciamos y nunca damos por sentado.

Cuando se trata de tener acceso a la presencia de Dios, ¿de dónde sacamos el pasaporte? ¿Cómo se nos concede el acceso a la presencia de Dios? Me alegro mucho de que lo preguntes.

En el tabernáculo, donde moraba la presencia de Dios había una cortina que separaba el Lugar Santo del Lugar Santísimo (ver Éxodo 26:33). Una vez al año, en el Día de la Expiación, el sumo sacerdote

Confianza para el viaje de la vida

traspasaba el velo hacia la presencia de Dios en el Lugar Santísimo (ver Levítico 16). Entraba con la sangre del sacrificio para rociarla en el propiciatorio. ¡Y aquí es donde se vuelve realmente maravilloso! Cuando Jesús murió, el velo del templo se rasgó de arriba hacia abajo (S. Mateo 27:51), ¡porque su sacrificio es el pasaporte que nos da acceso directo a la presencia de Dios! ¿No es sorprendente? A través de la sangre de Jesús tienes acceso directo al trono de gracia de Dios, sin que otro ser humano tenga que mediar por ti, como en el tiempo de Israel. El autor de la Epístola a los Hebreos explica detalladamente esta nueva y asombrosa realidad: "Así que, hermanos, mediante la sangre de Jesús, tenemos plena libertad para entrar en el Lugar Santísimo, por el camino nuevo y vivo que él nos ha abierto *a través de la cortina [velo], es decir, a través de su cuerpo*; y tenemos además un gran sacerdote al frente de la familia de Dios. Acerquémonos, pues, a Dios con corazón sincero y con la plena seguridad que da la fe" (Hebreos 10:19-22, NVI; énfasis añadido). Oh, ¡qué nueva forma de vivir! En lugar de vivir con miedo, gracias a la sangre de Jesús podemos acercarnos a Dios con la plena seguridad de la fe. No más ansiedad, ni miedo al juicio, ni vergüenza. ¡Solo la plena seguridad de la fe! Y esto, mi amigo, es la razón por la que podemos vivir sin ansiedad y estar en paz con Dios:

Conclusión #10: Dios nos ha dado plena seguridad
a través de la sangre de Jesús.

El Templo de Dios

Dios nos creó para estar en comunión con él. Cuando la humanidad pecó, se produjo un abismo entre Dios y sus hijos. Pero él no se dio por vencido. Al instruir a su pueblo para que erigiera una morada para él, Dios encontró una manera de seguir morando con los seres humanos. El Tabernáculo, o Santuario, era una estructura que podía trasladarse a cualquier lugar al que el pueblo fuera, porque Dios quería morar con ellos en todo momento.

Los servicios y sacrificios que se realizaban allí apuntaban al plan de redención que Jesús lograría por medio de su sacrificio. En la tierra prometida construyeron un Templo permanente para que la presencia de

La morada de Dios

Dios residiera allí (ver 1 Reyes 6–8). Cuando Jesús vino a la tierra, *habitó* entre nosotros y vimos más claramente la gloria de Dios (ver S. Juan 1:14). Después de que Jesús ascendió al cielo, sus seguidores se convirtieron en templos por medio de quienes su gloria y su gracia podían revelarse al mundo (ver 1 Corintios 6:19, 20).

Sin embargo, al final de la Biblia, encontramos una declaración muy intrigante del profeta que recibe una visión de la Nueva Jerusalén: "No vi *ningún templo* [o santuario] en la ciudad, porque el Señor Dios Todopoderoso y el Cordero son su templo" (Apocalipsis 21:22, NVI; énfasis añadido). ¡Eso es asombroso! ¡Jesús es el Templo eterno! ¡Él es verdaderamente Emanuel, Dios con nosotros! ¡Él quiere estar cerca de ti para siempre! ¡Se te ha concedido acceso directo a la presencia de Dios por medio de la fe en él y en lo que ha hecho por ti! Aunque todos hemos pecado, hemos sido justificados por la gracia, que es un *regalo* a través de su sangre (Romanos 3:23, 24). ¡Elige la fe sobre el miedo! ¡Aférrate de su mano! ¡Él es el Camino! Y él te llevará a la Tierra Prometida. Pronto escucharemos las palabras de Dios: "¡Bienvenidos a casa!" ¡Y moraremos con él para siempre! ¡Aleluya!

*P*or medio de la sangre de Jesús tenemos acceso directo al trono de la gracia de Dios.

Al final del libro, en la página 95, hay unas preguntas para reflexionar sobre el contenido de este capítulo.

---

* La versión bíblica LXX representa la *Biblia Septuaginta* o *Biblia de los Setenta*, la Biblia griega antigua.

Capítulo 11

La compasión de Dios

Era la hora de la siesta, pero yo no tenía mucho sueño. Mis padres y yo estábamos de vacaciones, acampando cerca de la playa. Yo era adolescente y empezaba a practicar el manejo de vehículos. Estábamos en un pueblo muy pequeño y sin tráfico, así que me pareció un lugar perfecto para llevar el auto a dar un pequeño paseo. Para mi deleite, mi padre me autorizó mientras ellos harían la siesta. Con las llaves en la mano y mucha ilusión, me dirigí al estacionamiento y me subí al auto. Un grupo de niños de mi edad, sentados a cierta distancia, me miraban; y pensé que esa era una buena oportunidad para demostrar mis habilidades como conductora. Me proponía dar marcha atrás lo más rápido posible, y luego acelerar a toda velocidad. ¿Quién quiere tomarse las cosas con calma cuando tienes la capacidad de ir a toda velocidad, verdad? Puse la marcha hacia atrás y pisé a fondo el acelerador mientras giraba el volante. Y... ¡baaanng! En mi necedad impaciente, no me había dado cuenta de que el auto estaba estacionado junto a un enorme árbol. Y, con horror, me di cuenta de que acababa de estrellar el coche ¡sin siquiera salir del estacionamiento! El lado derecho del coche estaba hundido. ¡Cómo pude ser tan tonta! Olvidando a mi "público" y con el alma abatida, me dirigí de nuevo al campamento para intentar explicar lo que acababa de suceder. Mi padre era paciente y compasivo, y yo siempre contaba con ello. Esta vez no fue la excepción. Pero me sentía terrible. ¡No podía creer lo que había hecho! No había sido un accidente sino una imprudencia. Y ahora él tendría que pagar la reparación, porque yo no tenía forma de hacerlo.

Tal vez tú también hayas experimentado esa sensación de malestar en el estómago después de que tu necedad te ha llevado a la imprudencia impaciente, y de repente te has encontrado en un pozo muy oscuro. No puedes creer cómo has llegado hasta ahí: una multa por conducir bajo los

La compasión de Dios

efectos del alcohol, un beso prohibido, malversación de fondos, pérdida de tu casa en un frenesí de juego, un aborto, y la lista continúa. Cosas que *nunca* pensaste que harías, o que incluso eras capaz de hacer. Pero de alguna manera estás ahí, y parece que el mundo ha llegado a su fin. Puede que incluso estés pensando en acabar con todo. Pero hoy quiero decirte que Jesús pagó un alto precio por nuestra tonta obstinación y terquedad. Su compasión es mayor que nuestros fracasos, incluso cuando sucede lo impensable.

> *Las pruebas que más duran son las más difíciles.*

Cuando sucede lo impensable

La ausencia de Moisés fue más larga de lo previsto, y el pueblo se impacientó por el retraso. La Biblia dice que Moisés permaneció en el monte durante cuarenta días (ver Éxodo 24:18). El pueblo de Israel no sabía qué había sucedido con su líder, y decidió que tenía que hacer algo al respecto. ¿Te diste cuenta? Las pruebas más difíciles de la vida son las que más duran, cuando no hay un final a la vista. Podemos pasar las pruebas más duras pero cortas con éxito, confiando en las promesas de Dios; pero cuando las horas se convierten en días, meses y años de espera para que Dios nos libere de una determinada situación, bueno, esa es otra historia. Como les ocurrió a Abram y Sarai después de esperar durante muchos años al hijo prometido (ver Génesis 16:2), es fácil caer en la impaciencia y tratar de encontrar nuestras propias soluciones para remediar la situación.

Esto es exactamente lo que le ocurrió a Israel: "Viendo el pueblo que Moisés *tardaba* en descender del monte, se acercaron entonces a Aarón, y le dijeron: Levántate, haznos dioses que vayan delante de nosotros; porque a este Moisés, el varón que nos sacó de la tierra de Egipto, nos sabemos qué le haya acontecido" (Éxodo 32:1; énfasis añadido). ¿Oyes la ansiedad en sus voces? *¿Quién nos guiará, intercederá por nosotros, proveerá lo que necesitamos? Necesitamos un dios que podamos ver, uno que vaya delante de nosotros.* Y así, su ansiedad se convirtió en una impaciente y rebelde necedad. Pero al menos podemos contar con que Aarón está ahí y ayudará al pueblo a entrar en razón, ¿no? ¡Equivocado! Él se une a ellos y

Confianza para el viaje de la vida

comienza a dirigirlos, emitiendo imperativos para que esto ocurra lo antes posible: *¡Consigan todos los aretes que puedan encontrar! ¡Tráiganmelos!* (ver versículos 2 y 3). ¿Qué? ¿Cómo pudo Aarón caer tan bajo? Bueno, incluso los líderes son susceptibles a esta necedad impaciente; añade a eso la presión que el pueblo ejerce sobre él para que "haga algo", y tienes una situación crítica.

Aarón tomó el oro y le dio forma de becerro, y el pueblo dijo: "Israel, ¡aquí tienes a tus dioses que te sacaron de la tierra de Egipto!" (Éxodo 32:4). ¡Parece que se están volviendo locos! ¿*Este* es el dios que los liberó? ¿Están hablando del mismo ídolo que acaban de moldear con sus aretes? ¡Tienen que estar bromeando! Pero, para sentirse mejor, decidieron que esto era simplemente una representación de Jehová. Aarón hizo un altar frente a él y proclamó una fiesta sagrada a Jehová (vers. 5, 6). Ofrecieron holocaustos y ofrendas de paz, y celebraron. Todo esto, por supuesto, era una violación directa del mandamiento específico que Dios les había dado; pero lo ignoraron, y crearon una imagen prohibida para representar a Dios. Procurar adorar a Jehová de una manera que no era aceptable para él era una manifestación de necedad rebelde. Adoraron a su propia creación como un "dios". Esto se destaca en el Salmo 106, que relata la historia de la rebelión de Israel contra Dios:

> Hicieron becerro en Horeb,
> se postraron ante una imagen de fundición.
> Así cambiaron su gloria por la imagen de un buey que come hierba.
> Olvidaron al Dios de su salvación, que había hecho grandezas en Egipto,
> Maravillas en la tierra de Cam, cosas formidables sobre el Mar Rojo.
> (Salmo 106:19-22).

¿Cómo pudo su ansiedad convertirse en semejante necedad? ¡Oh, qué perverso es el corazón humano! Junto con David, oro:

> Examíname, oh Dios, y conoce mi corazón;
> Pruébame y conoce mis pensamientos;
> Y ve si hay en mí camino de perversidad,
> y guíame en el camino eterno (Salmo 139:23, 24).

La compasión de Dios

¡Perdona su pecado!

Jehová hace saber a Moisés lo que ocurre al pie de la montaña: "Anda, desciende, porque *tu pueblo* que sacaste de la tierra de Egipto se ha corrompido. Pronto se han apartado del camino que yo les mandé" (Éxodo 32:7, 8; énfasis añadido). No se están comportando como el pueblo de Dios, así que Jehová le dice a Moisés: *tu* pueblo se ha corrompido. Esto es algo así como lo que podrías decirle a tu cónyuge cuando los niños se portan mal: "¡Mira lo que han hecho *tus* hijos!". Jehová, como un padre herido por un hijo dañino y rebelde, le dice a Moisés: "Ahora, pues, déjame que se encienda mi ira en ellos, y los consuma; y de ti yo haré una nación grande" (vers. 10). En esta dura declaración Moisés percibió una invitación a interceder en favor de su pueblo, al que cuidaba por sobre sí mismo. Dios ya sabía lo que iba a hacer, pues conoce el futuro. Pero esta era una oportunidad que ponía a prueba la lealtad de Moisés como líder de este pueblo insensato e ingrato. ¡Y Moisés intervino para apelar en su favor! Moisés es lo que llamamos un "tipo" o un "símbolo" de Jesús, que vendría como nuestro Intercesor y Representante. Jesús es el mediador entre la santidad de Dios y nuestra pecaminosidad, presentando su sangre en nuestro favor. En esta sección del éxodo, Moisés actúa claramente como intercesor, apelando a Jehová en nombre de Israel.

La primera apelación se produce en Éxodo 32:11 al 14. Moisés le da a Jehová tres razones por las que no debería destruir a Israel a pesar de sus insensatas acciones. En primer lugar, Moisés le recuerda a Dios que este pueblo es "*tu* pueblo, que *tú sacaste* de la tierra de Egipto" (versículo 11; énfasis añadido). *Son tuyos, no míos. Y tú los sacaste con gran poder*. En segundo lugar, Moisés señala que los egipcios interpretarán que Jehová tenía malos motivos al sacarlos: destruirlos en el desierto. Y ruega: "¡Aplácate y no traigas sobre tu pueblo esa desgracia!" (vers. 12, NVI). En tercer lugar, Moisés le recuerda a Jehová el pacto que había hecho con Abraham, Isaac y Jacob (vers. 13). La apelación de Moisés agradó al Señor y le hizo sentir compasión, "Entonces el Señor se calmó y desistió" (vers. 14, NVI). Este es un lenguaje humano para explicar que Jehová hizo lo que ya sabía que haría después de la intercesión de Moisés. Sin embargo, en el proceso Moisés demostró ser un líder comprometido y desinteresado.

Confianza para el viaje de la vida

Cuando Moisés bajó del monte y vio lo que el pueblo estaba haciendo y cómo había quebrantado su pacto con Dios, se enfadó muchísimo. Arrojó al suelo las dos tablas con la ley que Dios le había dado y las hizo añicos. No podía entender cómo su hermano Aarón, el portavoz elegido por Dios, podía haber aceptado hacer algo así. Y Aarón dio una respuesta ridícula: "Ellos me dieron el oro, yo lo eché al fuego, ¡y lo que salió fue este becerro!" (Éxodo 32:24, NVI). ¡Claro! ¡Culpa al fuego! Dios no quiere nuestras excusas, y ya ha hecho provisión para nuestro perdón. Quiere un corazón honesto y contrito. Desafortunadamente, algunas personas de la multitud no se arrepintieron y continuaron con su necedad (vers. 25), y miles de personas murieron ese día. Dios no excusa la rebelión. Sin embargo, cuando elegimos el camino de Dios, aunque tengamos que vivir con las consecuencias de nuestros errores en esta vida, podemos estar seguros de que estamos en paz con Dios y de que tenemos vida eterna por los méritos de Jesús. Pero si elegimos permanecer en nuestra rebeldía, ¿qué más puede hacer Dios por nosotros? Él ya nos ha dado todos sus recursos celestiales en la persona de Jesús.

> *Dios no quiere nuestras excusas; él quiere un corazón honesto y contrito.*

Después de este triste acontecimiento, Moisés acudió de nuevo al Señor e intercedió por segunda vez por el pueblo, diciendo: "Te ruego, pues este pueblo ha cometido un gran pecado ... que perdones ahora su pecado, y si no, ráeme ahora de tu libro que has escrito" (vers. 31, 32). En otras palabras: *¡Perdónalos, o bórrame a mí de tu libro también!* Pero Dios no permitió que Moisés cargara con los pecados del pueblo, pues Moisés no podía expiar el pecado de ellos. Uno sin pecado, mucho más grande que Moisés, vendría a morir para expiar todos los pecados de toda la humanidad, incluidos los de ellos y los nuestros.

Compasivo y bondadoso

Cuando estaba en la adolescencia, decidí que era momento de cortarme el cabello y dejarlo corto. Mi madre se ofreció a hacerlo, pues tenía experiencia en ello, pero rechacé su ayuda. Me encerré en el baño y empecé a cortármelo yo misma. Pronto me di cuenta de que no sabía

La compasión de Dios

lo que estaba haciendo y que estaba llegando al punto de no retorno, ya que solo me quedaban unos pocos centímetros de cabello. Salí del baño preguntándome si mi madre me daría una segunda oportunidad. Y allí estaba ella, compasiva y amable. Gracias a sus habilidades, terminé con un corte de pelo muy, muy corto, pero presentable. A veces nos metemos en grandes líos, mucho más grandes que un corte de pelo. ¿Cómo responde Dios cuando, habiendo hecho un gran lío, acudimos a él en busca de ayuda? Me alegro de que lo preguntes.

Puedes encontrar la tercera apelación de Moisés en Éxodo 33:12 al 17. Pide a Jehová que su presencia los acompañe en el viaje, pues es su presencia la que los distingue de los demás. Jehová accede, y su respuesta me conmueve: "Mi presencia irá contigo, y te daré descanso" (vers. 14); y, "cuentas con mi favor y te considero mi amigo" (vers. 17, NVI). ¡Qué Dios tan compasivo y bondadoso tenemos!

Moisés se siente animado a ir un poco más allá para conocer más a su Dios, quien lo había conocido a él de manera tan íntima, y hace una de las peticiones más sorprendentes de toda la Biblia: *"Te ruego que me muestres tu gloria"* (vers. 18; énfasis añadido). Y Dios accede a que Moisés vea su misericordia (vers. 19). Jehová le dice que corte dos lajas de piedra para reemplazar las que Moisés había roto, y que él mismo volvería a escribir la ley en ellas. Moisés hizo lo que se le indicó y subió al Monte Sinaí. "Y pasando Jehová por delante de él, proclamó: ¡Jehová! ¡Jehová! Fuerte, *misericordioso y piadoso; tardo para la ira, y grande en misericordia y verdad"* (Éxodo 34:6; énfasis añadido). ¡Qué Dios tan admirable! ¿Puedes imaginar esta escena? Cuando Moisés vio la gloria de Dios, se inclinó y adoró. Luego procedió a hacer su cuarta apelación a Jehová, diciendo: "Perdona nuestra iniquidad y nuestro pecado, y tómanos por tu heredad" (vers. 9). Jehová accedió, y renovó el pacto con Israel (vers. 10-28).

Oh, querido Señor, eres verdaderamente compasivo, misericordioso y lento para la ira. Abundas en gracia, una gracia muy cara, que se pagó con la vida de tu divino Hijo.

Resumamos la impresionante lección central de este capítulo:

Confianza para el viaje de la vida

Conclusión #11: La compasión de Dios
hacia sus hijos le costó la vida.

Perdón y purificación

Experimentamos la mayor ansiedad cuando, debido a nuestras decisiones insensatas, causamos un gran dolor a un ser querido o a nosotros mismos. ¿Adónde vamos cuando tomamos conciencia de nuestra culpa? Jesús es el nuevo y más grande Moisés, el Mediador del nuevo pacto a través de su sangre (ver S. Lucas 22:20). Como un padre que se castiga a sí mismo para sustituir a un hijo rebelde, Jesús pagó un alto costo por su compasión hacia nosotros. Como ya comenté en el primer capítulo de este libro, recibimos su bendita seguridad cuando aceptamos el *intercambio* que nos ofrece, resaltado en los pronombres utilizados en Isaías 53:5:

> "*Él* fue herido por *nuestras* rebeliones,
> *Él* fue molido por *nuestros* pecados;
> el castigo de *nuestra* paz fue sobre *él*,
> Y por *sus* heridas, fuimos *nosotros* curados".
> (Paráfrasis de la autora).

No permitas que tu ansiedad te arrastre a la necedad y a la rebelión. Acude a Jesús. La justicia y la compasión de Dios se unieron en la cruz. Tu pecado fue pagado. Cuando confiesas tu pecado, su sangre se coloca sobre tu deuda, y se lee: "Pagado por completo". "Si confesamos nuestros pecados, él es fiel y justo para *perdonar nuestros pecados, y limpiarnos de toda maldad*" (1 Juan 1:9; énfasis añadido). Confiemos en él, aceptando su costoso regalo de salvación, y honremos su sacrificio viviendo para su gloria. Amén.

Al final del libro, en la página 95, hay unas preguntas para reflexionar sobre el contenido de este capítulo.

Capítulo 12

La presencia de Dios

En 2014, se informó[1] que el versículo bíblico en inglés más subrayado en Amazon Kindle era: "*No se inquieten por nada*; más bien, en toda ocasión, con oración y ruego, presenten sus peticiones a Dios y denle gracias. Y la paz de Dios, que sobrepasa todo entendimiento, cuidará sus corazones y sus pensamientos en Cristo Jesús" (Filipenses 4:6, 7, NVI; énfasis añadido).

Parece que la humanidad está sufriendo una plaga de ansiedad, y todos estamos buscando el remedio. Buscamos alivio para nuestras almas cansadas. La ansiedad puede ser descrita con palabras dolorosamente conocidas para muchos de nosotros: angustia, preocupación, tensión, miedo. Y lo que es peor, la ansiedad está arraigada en la idea de que Dios no es capaz, o tal vez no está dispuesto, a manejar nuestras situaciones difíciles.

La historia del pueblo de Israel fue escrita no solo como un relato histórico sino también como un testimonio para las generaciones futuras, es decir, para nosotros. Los acontecimientos narrados en el libro del Éxodo proporcionan respuestas a nuestras preguntas sobre la capacidad y la fidelidad de Dios. Después de leer el libro del Éxodo, podemos responder a la pregunta más importante de nuestro corazón: ¿Es Dios digno de nuestra confianza? ¿Puedo confiar en que es mi Redentor, Proveedor, Sustentador, Guía y Defensor? ¿Puedo confiar en que su sacrificio en la cruz pagó por completo mis pecados y que me guiará con seguridad a la Tierra Prometida celestial? ¿Puedo realmente elegir *la confianza sobre la ansiedad*, pase lo que pase? Y la respuesta es: ¡Sí, sí, sí y sí!

En su libro *Uninvited* [No invitada], Lysa TerKeurst propone que debemos responder a tres preguntas fundamentales: ¿Es Dios bueno? ¿Es Dios bueno conmigo? ¿Es Dios suficientemente competente para ser Dios? Y añade:

Confianza para el viaje de la vida

Si Dios es bueno y Dios es bueno conmigo, entonces debo rellenar los huecos de todas las incógnitas de mi vida con una rotunda declaración de confianza: *Dios es más que competente siendo Dios.*

No tengo que resolver mis circunstancias actuales. No tengo que llenar el silencio que deja la ausencia de otra persona. No tengo que saber todos los porqués y los "y si". Todo lo que tengo que hacer es confiar. Así que, con tranquila humildad y sin una agenda personal, tomo la decisión de dejar que Dios lo resuelva todo.[2]

Oh, ¡qué vida sería, de descanso del alma y de confianza en un Dios fiel! ¿No queremos eso? Espero que en este punto de nuestro viaje estemos preparados para elegir confiar en que Dios es Dios. Eso no significa que siempre entenderemos o que sabremos por qué suceden las cosas. Más bien significa que tomamos la decisión de confiar en que Dios nos ama y ha pagado nuestra deuda en la cruz, y que él tiene el control de nuestra vida; que él sabe lo que es mejor, y que nos llevará a nuestro destino final en el cielo. Como dijimos en la introducción de este libro, aceptamos la invitación de Proverbios 3:5, 6 (NVI):

> Confía en el Señor de todo corazón,
> y no en tu propia inteligencia.
> Reconócelo en todos tus caminos,
> y él allanará tus sendas.

Él está más que involucrado en nuestro viaje.

Dios con nosotros

Cuando llegamos al final del libro del Éxodo, que no es el final del viaje de Israel hacia su tierra prometida, se completa la construcción del tabernáculo (literalmente, *morada*). Puedes leer el emocionante informe en Éxodo 40:1-33: "Así, en el día primero del primer mes, en el segundo año, el tabernáculo fue erigido" (vers. 17). Y ahora, ¿cómo mostraría Dios su presencia en este lugar sagrado? ¿Vendría Dios realmente a morar con ellos? Intenta imaginar la escena narrada en estos dos versículos: "Entonces una nube cubrió el *tabernáculo* de reunión, y la *gloria* de Jehová llenó el *tabernáculo*. Y no podía Moisés entrar en el *tabernáculo* de reunión porque la nube estaba sobre él, y la *gloria* de Jehová lo llenaba" (vers. 34, 35; énfasis añadido). ¡El *tabernáculo* se llenó de la *gloria* de Jehová! ¡Su presencia se manifestó en medio de ellos! Es algo que va más allá de las palabras.

Las dos palabras clave utilizadas en el pasaje anterior, *gloria* y *tabernáculo*, apuntaban a Jesús. Como ya comentamos en el capítulo 10, la palabra griega utilizada para tabernáculo en el Antiguo Testamento griego (vers. 34, 35) es la misma palabra raíz utilizada por Juan en su Evangelio cuando explica cómo vino Jesús a este mundo: "Y el Verbo se hizo hombre y *habitó* [*tabernaculizó*] entre nosotros. Y hemos contemplado su *gloria*... lleno de gracia y de verdad" (S. Juan 1:14, NVI; énfasis añadido). Dios vino a morar, literalmente *tabernaculizó*, con nosotros en la persona de Jesús. Además, fue en Jesús donde vimos la mayor manifestación de la gloria de Dios: "Y hemos contemplado su *gloria*, la *gloria* que corresponde al Hijo unigénito del Padre, lleno de gracia y de verdad" (vers. 14, NVI; énfasis añadido). Lo que Israel presenció cuando la gloria de Dios se manifestó en el tabernáculo fue superado cuando Jesús vino a la tierra y *habitó* entre los humanos. Contemplamos la *gloria* de Dios en su máxima revelación, ¡y estaba "lleno de gracia y de verdad"!

> *Solo Jesús es la representación exacta de la naturaleza de Dios.*

Es importante entender que Dios se manifiesta a lo largo de la Biblia en etapas de desarrollo progresivo, y que la mayor expresión de Dios se encuentra en la persona de Jesús. Este concepto se explica al principio del libro de Hebreos: "Dios, que muchas veces y de varias maneras habló a nuestros antepasados en otras épocas por medio de los profetas, en estos días finales nos ha hablado por medio de su Hijo. A este lo designó heredero de todo, y por medio de él hizo el universo. *El Hijo es el resplandor de la gloria de Dios, la fiel imagen de lo que él es*" (Hebreos 1:1-3, NVI; énfasis añadido). Solo Jesús es la representación exacta de la naturaleza de Dios. Así que, cuando tengas dudas sobre quién es Dios y qué siente por ti, mira a Jesús. En él tienes todas las respuestas, porque Jesús es Emanuel, Dios con nosotros (S. Mateo 1:23). La mayor manifestación de su gloria fue su sacrificio en la cruz (S. Juan 13:31, 32; 17:1-5). Durante el viaje de Israel en el desierto, la gloria de Dios en el tabernáculo señalaba a Jesús; pero no solo eso, ¡*todo el Éxodo* señalaba el plan de redención de Dios que se cumpliría en él!

El verdadero éxodo

Todos estamos en un viaje. No solo el verdadero viaje del éxodo desde este mundo hasta la Tierra Prometida celestial, sino también un viaje personal de confianza en Dios. El más significativo de estos viajes personales ocurre cuando nuestras creencias viajan de nuestra cabeza a nuestro corazón. *Lo que sabemos se convierte en algo en lo que confiamos y que impregna cada parte de nuestro ser.*

Siempre me han fascinado los viajes. Lucas, el escritor del evangelio, también estaba fascinado con los viajes: en su evangelio todos parecen estar viajando a alguna parte. Y estos viajes no son simplemente viajes geográficos, sino viajes de percepción, de discernimiento espiritual. Entre ellos se encuentra el viaje a Emaús (S. Lucas 24:13-35), en el que Jesús revela a sus compañeros de viaje una de las herramientas de interpretación bíblica más importantes: "Y comenzando desde Moisés, y siguiendo por todos los profetas, les declaraba en todas las Escrituras lo que de él decían" (vers. 27). ¡Asombroso! También repitió este principio de interpretación al resto de los discípulos (ver versículos 44, 45). ¡Todo el Antiguo Testamento apuntaba a él! ¡Hay tanto que podemos aprender sobre Jesús solo del libro del Éxodo! Pero espera, ¡hay más!

El hecho de que el viaje del éxodo sea un símbolo de nuestra redención final me ha fascinado durante muchos años. Me emocioné aun más cuando me enteré de cómo narra Lucas el relato de la transfiguración. Cuando Moisés y Elías, los representantes de la ley y los profetas, se aparecieron sobrenaturalmente en el monte para hablar con Jesús sobre su próxima muerte, esto es lo que dice el original griego (traducido al español) en el *Nuevo Testamento Interlineal Griego-Inglés*: "Y he aquí que dos hombres estaban conversando con él, que eran Moisés y Elías, los cuales, habiendo aparecido en gloria, *hablaban del éxodo de él*, que iba a cumplir en Jerusalén" (S. Lucas 9:30, 31; énfasis añadido).[3] ¿Lo notaste? ¡El *éxodo* de él! Me imagino a Moisés animando a Jesús, diciendo: ¡*Anímate! Vi los rostros de los hijos de Israel cruzando el Mar Rojo, mientras eran redimidos de su esclavitud. Y tú estás a punto de realizar el éxodo definitivo, no de la esclavitud en Egipto, ¡sino de la esclavitud del pecado! ¡Increíble! Sé que la palabra éxodo significa "la salida", pero, al hablar de la muerte de Jesús, la elección de palabras de Lucas aquí es, sin duda, una deliberada y magnífica declaración teológica.*

¡El sacrificio de Jesús sería la garantía y el cumplimiento del verdadero éxodo! Él abrió un camino a la Tierra Prometida donde no había camino.

> *El sacrificio de Jesús sería la garantía y el cumplimiento del verdadero Éxodo.*

Por eso los escritores del Nuevo Testamento relacionan con frecuencia el viaje del éxodo del pueblo de Israel con Jesús. Hay innumerables conexiones de este tipo, incluyendo las que revisamos en este libro: Jesús como el nuevo tabernáculo (S. Juan 1:14); Jesús como el Pan del cielo (S. Juan 6:31-35); Jesús como el Agua (S. Juan 7:37, 38); Jesús como el Cordero de la Pascua (1 Corintios 5:7); y Jesús como el propiciatorio (Romanos 3:25). Y hay muchos más acontecimientos a lo largo del viaje por el desierto de Israel que también apuntan a Jesús (por ejemplo, la serpiente de bronce; ver Números 21:4-9 y S. Juan 3:14-16). Cuando llegamos al último libro de la Biblia, los redimidos celebran las obras salvíficas de Dios con el canto de Moisés, que es también el canto del Cordero (ver Éxodo 15:1-19, y Apocalipsis 15:2-4). En la Nueva Jerusalén ya no hay templo, porque allí está el Cordero (Jesús) (Apocalipsis 21:22). Sí. Jesús es el Alfa y la Omega, la A y la Z, el Primero y el Último. Él es nuestro todo en todo. ¡Y por eso podemos confiar en él!

Nuestro boleto a la Tierra Prometida

Lamentablemente, el pueblo de Israel no aprendió a confiar en Dios durante su viaje a la tierra prometida. Cuando llegaron al borde de la tierra de Canaán, Jehová le dijo a Moisés "Envía tú hombres que reconozcan la tierra de Canaán, *la cual yo doy a los hijos de Israel*" (Números 13:2; énfasis añadido). Cruzaron doce hombres, uno de cada tribu, y cuarenta días después regresaron con su informe. Dios ya les había dicho que *les daría la tierra*, la victoria estaba asegurada. Pero diez de los doce espías (excepto Josué y Caleb) dieron un informe sombrío: "No podremos subir contra aquel pueblo, porque es más fuerte que nosotros (vers. 31). ¿No habían aprendido nada? No se trataba de su fuerza, sino del poder de Dios. Pero se pusieron ansiosos y preocupados, y el pueblo hizo lo que había hecho siempre: "Y se quejaron contra Moisés y contra Aarón todos los hijos de Israel; y les dijo toda la multitud: ¡Ojalá muriéramos en la tierra de Egipto; o en este desierto ojalá muriéramos!" (Números 14:2; énfasis añadido). Y por más que Josué y Caleb trataron de recordarles que "[Jehová] nos llevará a esta tierra, y nos la entregará" (vers. 8), ¡el pueblo se rebeló y casi los apedrea! Puedes leer esta triste historia en Números 13 y 14. ¡No confiaron en que Dios haría lo que dijo que haría!

Jesús vino a confirmar y ratificar el pacto de Dios con la raza humana.

Dios decidió que pasarían cuarenta años vagando por el desierto, un año por cada día de exploración de los espías, antes de que pudieran poseer la tierra que *él* les daría. Y así, a causa de sus murmuraciones, Israel se sometió a una experiencia de cuarenta años en el desierto. Hacia el final de su peregrinaje, cuando llegó el momento de que Moisés preparara al pueblo para entrar en la tierra prometida bajo un nuevo líder (Josué), pronunció una sentida despedida registrada en el libro de Deuteronomio. En este libro, Moisés los animó a "recordar" algunas verdades muy importantes. Debían recordar que habían sido esclavos en Egipto y que Jehová los había sacado y redimido con mano poderosa (Deuteronomio 5:15). Debían recordar que habían sido elegidos no porque fueran más grandes que las demás naciones, sino porque Jehová los amaba (Deuteronomio 7:7, 8). Cuando tuvieran miedo y dudaran, debían recordar lo que el Señor había hecho con el faraón y con todo Egipto. Y si se enorgullecían, debían recordar que no iban a poseer la tierra por su justicia, sino porque Jehová estaba cumpliendo el pacto que había hecho con Abraham, Isaac y Jacob (ver Deuteronomio 9:4-7).

Y, lo más importante, se les dijo que Jehová levantaría otro profeta de entre sus compatriotas, y que debían escucharlo (finalmente refiriéndose a Jesús; ver Deuteronomio 18:15, 18). Jesús fue la mayor manifestación de Dios y vino a confirmar y ratificar el pacto de Dios con la raza humana

La presencia de Dios

mediante su sacrificio. No poseeremos la Tierra Prometida por nuestra justicia, sino porque él abrió el camino. Cuando tengamos miedo o nos sintamos orgullosos en nuestro viaje, debemos recordar que todo se trata de él. Y esto nos lleva a la última conclusión de este libro:

Conclusión #12: El amor sacrificial de Dios, revelado en la cruz, es nuestro boleto a la Tierra Prometida.

El viaje de la confianza

Quiero invitarte a continuar este estudio viendo los programas en video titulados "La travesía del Éxodo" que fueron diseñados para acompañar este libro, disponibles en la sección "mirar" de nuestro sitio web (https://jesus101.tv/mirar/). Sé que Dios te bendecirá ricamente mientras continúas estudiando su Palabra para descubrir más sobre la seguridad que encontramos en Jesús.

Después de la muerte de Moisés, Israel cruzó el Jordán hacia la tierra prometida bajo el liderazgo de Josué. Puedes leer sobre su conquista de Canaán en el libro bíblico que lleva su nombre. *Josué* significa "Jehová salva". Como se mencionó en el octavo capítulo, esto es muy importante, porque el nombre *Josué* en griego es el mismo nombre de *Jesús*. ¿Recuerdas cómo el ángel anunció que el nombre de nuestro Salvador sería Jesús, "porque *él salvará* a su pueblo de sus pecados" (S. Mateo 1:21; énfasis añadido)? El mismo nombre. El nombre del que los condujo a la tierra prometida apuntaba a que Jesús es el que nos conducirá a la Tierra Prometida celestial. ¿Estás listo para cambiar tu ansiedad por confianza en Dios?

La ansiedad nos roba la paz. Como explica esta cita, que suele atribuirse a Charles Spurgeon: "La ansiedad no vacía el mañana de sus penas, vacía el hoy de su fuerza". El Dios del universo está de nuestro lado, ¿qué más podríamos necesitar? Dios es nuestro Creador, Redentor, Proveedor, Sustentador, Guía y Abogado Defensor. Además, Dios es bueno. Dios es bueno con nosotros, y Dios es competente siendo Dios. Por lo tanto, confiemos en él para nuestro viaje a la Tierra Prometida.

Corrie Ten Boom nos ofrece un gran lema: "Nunca temas confiar un futuro desconocido a un Dios conocido". Y la verdad es que ya sabemos

Confianza para el viaje de la vida

cómo termina la historia: *¡Jesús gana!* ¡Y nosotros estamos con él! ¿Confiarás en que él proveerá para cada necesidad en tu vida, incluyendo tu salvación? ¿Confiarás en que te llevará a salvo a tu hogar celestial, no por tus méritos, sino por los suyos, que te han sido dados como un regalo? Te invito a elegir la fe sobre el miedo. Elige la confianza en lugar de la ansiedad. Porque de eso, amigo mío, se trata el viaje del éxodo.

Al final del libro, en la página 95, hay unas preguntas para reflexionar sobre el contenido de este capítulo.

1. Robinson Meyer, "The Most Popular Passages in Books, According to Kindle Data", *The Atlantic*, 2 noviembre 2014, https://www.theatlantic.com/technology/archive/2014/11/the-passages-that-readers-love/381373/.

2. Lysa TerKeurst, *Uninvited* (Nashville, TN: Nelson Books, 2016), p. 23; énfasis en el original.

3. J. D. Douglas, ed., *The New Greek-English Interlinear New Testament*, trans. Robert K. Brown y Philip W. Comfort (Carol Stream, IL: Tyndale House, 1990).

$\mathscr{P}$reguntas para reflexionar

Capítulo 1

1. ¿Qué es lo que Dios nos ofrece en tiempos de cambio y dificultad?

2. ¿Cómo entregamos los problemas a Dios cuando ya hicimos todo lo que pudimos, como lo hizo la mamá de Moisés al poner al bebé en el Nilo?

3. Los caminos de Dios son diferentes a los nuestros. ¿Confío en que Dios sabe lo que es mejor para mí?

4. ¿Por qué es importante recordar que Dios cumple sus propósitos a su manera y en su tiempo?

5. ¿En qué aspecto el sacrificio de Jesús en la cruz me ayuda a enfrentar mi ansiedad sobre el futuro con fe en Dios?

Capítulo 2

1. ¿Qué significa para ti el hecho de que Dios no es un Dios de estructuras sino de personas?

2. ¿Te has sentido como Moisés cuando Dios lo llamó a una función para la que no se sentía calificado? Toma unos momentos para recordarlo.

3. El nombre de Dios, YO SOY EL QUE SOY, revela su soberanía activa en tiempo presente. ¿En qué te ayuda saber que el gran YO SOY del Éxodo está contigo hoy?

4. Así como Moisés tenía muchas preguntas, ¿qué preguntas quieres hacerle a Dios en este momento? ¡Dios está esperando que te comuniques con él!

5. ¿Estás listo para decidir confiar en el amor de tu Padre celestial, aunque no lo entiendas todo?

Capítulo 3

1. ¿Has tenido situaciones en la que pediste la intervención de Dios y todo pareció ir de mal en peor? ¿Qué diferencia hizo saber que Dios no te abandonaría en esas circunstancias?

2. ¿Te comunicas con Dios directamente cuando tu vida está llena de perplejidades y preguntas? ¿Por qué puedes venir con confianza trayéndole tus problemas a Dios?

3. ¿Qué diferencia hace en tu corazón saber que Dios es fiel a sus promesas?

4. ¿Cómo te ayuda en los problemas de la vida diaria saber que nuestra historia personal se está escribiendo dentro de la gran historia de la redención?

5. Dios ha hecho un pacto con todos los que creen en él y nos promete que no habrá mas muerte ni sufrimiento en el hogar eterno que prepara para nosotros. ¿Crees esto?

Capítulo 4

1. ¿Qué significa para ti el hecho de que Dios lucha por sus hijos y los protege?

2. ¿Por qué es importante entender que Jehová fue supremo y victorioso sobre los hechiceros y sus poderes malignos en Egipto? ¿Cómo nos afecta esto hoy?

3. Desde la cuarta plaga en adelante, se destaca que el pueblo de Dios fue protegido de las plagas. ¿Qué efecto tiene esto sobre nuestra ansiedad?

4. ¿Cuál era la principal razón por la que Dios iba intensificando las consecuencias con cada plaga que caía sobre Egipto?

5. Jesús, como el Buen Pastor, aseguró que cuando te entregas a él como una de sus ovejitas, nadie puede arrebatarte de sus manos (S. Juan 10:28). ¿Deseas vivir con esa seguridad, y entregar tu vida a Jesús?

Confianza para el viaje de la vida

Capítulo 5

1. ¿Por qué era necesario el alto precio de la vida de un animal para la redención de Israel? ¿Por qué fue necesaria la muerte del Hijo de Dios para nuestra salvación?

2. ¿Alguna vez has notado que tu corazón se endurece contra los planes de Dios, como ocurrió tantas veces con el faraón? ¿Cómo puedes entregarte en las manos de Jehová?

3. ¿Por qué crees que Dios no desea que confiemos en los detalles del plan para nuestra vida, sino que quiere que confiemos en él como Autor del plan?

4. Dios cumplió su pacto con Israel. ¿Qué significa esto para ti?

5. ¿Cómo cambia tu perspectiva del fin del mundo y de un juicio venidero el saber que Jesús es nuestro Cordero de Pascua, y que por su sangre seremos "absueltos" de todo castigo?

Capítulo 6

1. ¿Has estado en una situación imposible y sin salida en que Dios hizo un milagro en tu favor? Toma un momento para recordarlo.

2. ¿Por qué crees que como humanos es nuestra tendencia elegir lo "conocido" en vez de lo "sano y saludable"?

3. ¿Cómo podemos evitar aterrarnos en situaciones amenazantes, e ir directamente a Dios, confiando que él tiene todas las respuestas y el poder para obrar por nosotros?

4. ¿Qué significa estar tranquilo o quieto mientras Jehová lucha por nosotros? ¿Cómo entiendes este principio en relación a la cruz y nuestra salvación eterna?

5. ¿Cómo te ayuda a aminorar la ansiedad sobre el futuro, e incrementar tu fe, el saber que el Dios de la Pascua es también el Dios del cruce al otro lado?

Capítulo 7

1. ¿Cuál es la razón por la que el pueblo de Israel siempre murmuraba en vez de confiar en Dios, aunque habían visto grandes milagros?

2. ¿Por qué crees que Dios permitió que el pueblo llegara a las aguas amargas primero, en vez de llevarlos directamente a aguas que se podían beber?

3. ¿Qué significa para ti que Dios se ha revelado como "Jehová tu sanador"?

4. ¿Por qué era importante que el pueblo aprendiera a descansar los sábados, recordando que Dios era su Proveedor? ¿Cómo se relaciona esto con la invitación de Jesús de descansar en él?

5. La cruz de Jesús transformó las aguas amargas de este mundo, otorgándonos una dulce seguridad. ¿Qué significa la declaración: "Por sus llagas fuimos nosotros curados" (Isaías 53:5)?

Capítulo 8

1. ¿Crees que Dios tiene recursos ilimitados para ayudarnos?

2. ¿Por qué las provisiones de Dios en el pasado se convierten en nuestra seguridad para el futuro?

3. ¿Alguna vez te has preguntado si Dios está contigo, a pesar de tener evidencia convincente de su presencia a lo largo de tu vida? ¿Cómo se puede disipar esa duda con la fe?

4. Dios es la fuente de toda fuerza y sabiduría. ¿En qué dificultad actual estás necesitando recordar que Jehová es tu estandarte y que la batalla es del Señor?

5. ¿Por qué el sacrificio de Cristo en la cruz garantiza que Jesús es más que suficiente para suplir todas tus necesidades?

Preguntas para reflexionar

Capítulo 9

1. ¿Qué seguridad te otorga saber que, al ser hijo de Dios, estás bajo su gran "tienda" de protección y redención? ¿Significa esto que nunca tendrás sufrimientos?

2. ¿Cómo afecta tu identidad el saber que Dios te estima como su tesoro?

3. EL propósito esencial de los mandamientos es acercarnos a nuestro amoroso Salvador. ¿Qué significa esto para ti?

4. ¿Por qué es importante creer que cuando aceptamos a Jesús como nuestro Redentor él garantiza su presencia con nosotros, y que nunca nos abandonará?

5. Jesús dijo que su sangre del pacto, que fue su sacrificio en la cruz, fue derramada por "muchos". ¿Deseas ser parte de ese grupo? Toma un momento para hablar con Dios y entregarle tu corazón, aceptando lo que Jesús hizo por ti.

Capítulo 10

1. ¿Qué o quién te brinda seguridad en tu viaje a la Tierra Prometida de Dios?

2. ¿Cómo ayuda saber que Dios es un Dios de personas, deseoso de morar contigo?

3. ¿Por qué crees que Dios ideó una visualización del plan de la salvación en las instrucciones para el Tabernáculo que dio al pueblo de Israel?

4. ¿Cuál es la razón por la cual el apóstol Pablo llama "propiciatorio" o "asiento de misericordia" al sacrificio de Jesús? ¿Qué diferencia hace esto para ti?

5. ¿Por qué es tan importante tener acceso directo al trono de la gracia de Dios por medio de la sangre de Jesús?

Capítulo 11

1. ¿Te has enfrentado con tu propia pecaminosidad? ¿Crees que Dios es compasivo como lo fue mi padre cuando choqué el auto?

2. ¿Por qué las pruebas que duran mucho tiempo a menudo se convierten en las más difíciles?

3. ¿Por qué crees que Aarón presentó excusas en vez de confesar su pecado como líder? ¿Hacemos nosotros lo mismo a veces? ¿Cómo desea Dios remediar esa actitud?

4. ¿En qué aspectos Moisés prefiguraba a Cristo cuando intercedió por Israel?

5. La compasión de Dios hacia sus hijos le costó la vida, y ahora perdona nuestros pecados en el momento que los confesamos. Tómate unos minutos para dirigirte a Dios en oración y pedir perdón por pecados específicos, mediante la sangre de Jesús.

Capítulo 12

1. Lee Filipenses 4:6, 7. ¿Qué significa el hecho de que la paz de Dios guardará nuestros corazones y pensamientos en Cristo Jesús?

2. Contesta estas tres preguntas: ¿Es Dios bueno? ¿Es Dios bueno conmigo? ¿Es Dios competente siendo Dios? Bueno, ¿cómo te ayuda esto a enfrentar la ansiedad?

3. ¿Por qué es Jesús la revelación más precisa y suprema que Dios hizo de sí mismo en la historia de la humanidad?

4. Todos estamos en un viaje de confianza en Dios para nuestra redención. ¿Confías que él, por medio de su sacrificio en la cruz, garantiza que llegarás a la Tierra Prometida?

5. Te invito a elegir la fe sobre el miedo, la confianza sobre la ansiedad. Toma unos momentos para hablar con Dios y entregarle tu vida y tu viaje al hogar celestial.

¡UN CURSO GRATUITO PARA USTED!

Si la lectura de este libro lo inspira a buscar la ayuda divina para su viaje por la vida, tiene la oportunidad de iniciar un estudio provechoso y transformador de las Escrituras, sin gasto ni compromiso alguno de su parte.

Llene este cupón y envíelo por correo a:

> La Voz de la Esperanza
> P. O. Box 7279
> Riverside, CA 92513
> EE. UU. de N. A.

- - - - - - - - - - - copie o corte este cupón - - - - - - - - - - - - - - -

Deseo inscribirme en un curso bíblico gratuito por correspondencia:

❑ Hogar Feliz (10 lecciones)
❑ Descubra (12 lecciones)

Nombre _____

Calle y N° _____

Ciudad _____

Prov. o Estado _____

Código Postal (Zip Code) _____

País _____